hipod lie on it's side?

ヨコエビはなぜ「横」になるのか

富川光 著

広島大学出版会

東北地方の湧水に生息するミカドヨコエビ（体長約12 mm）撮影：内山りゅう氏

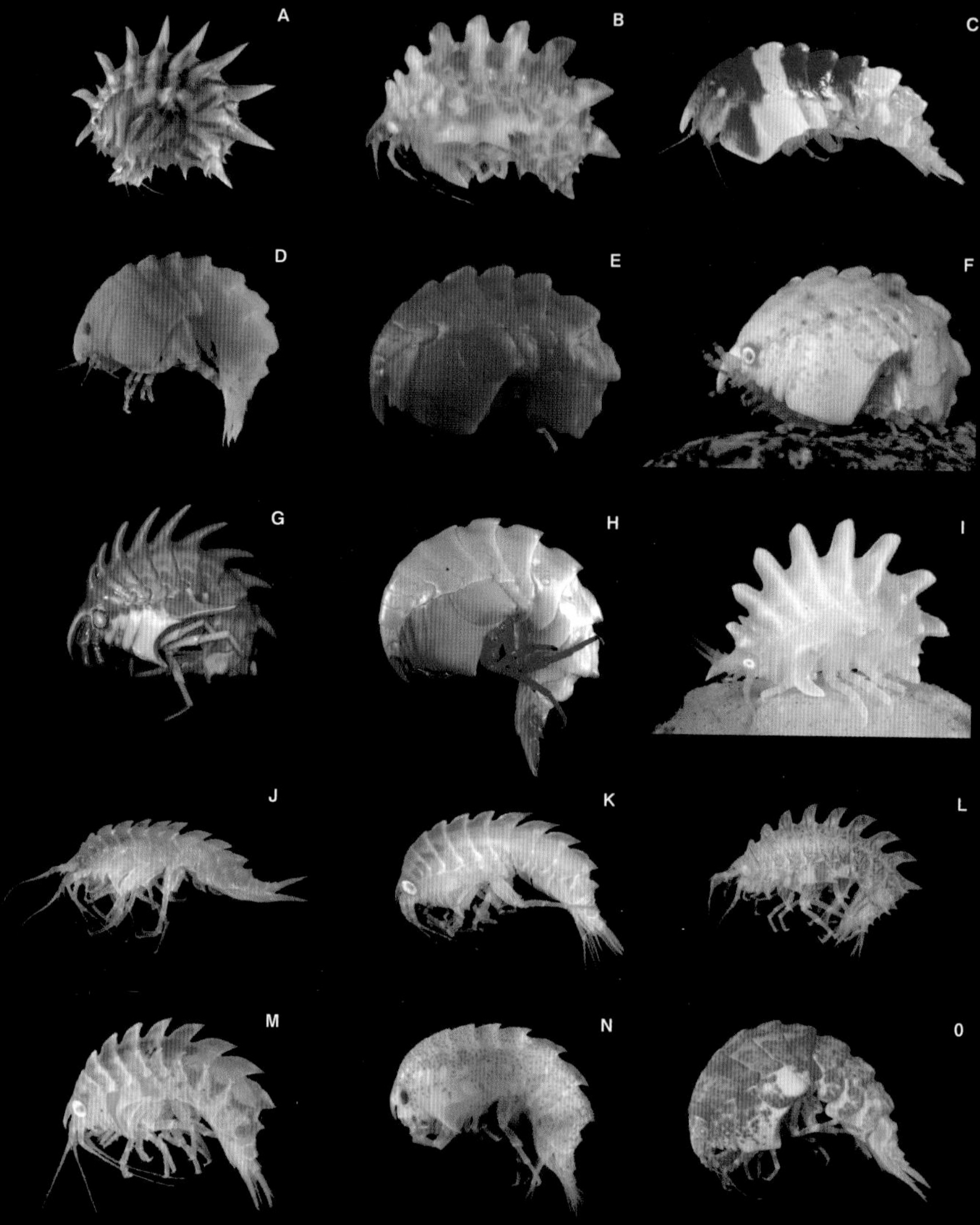

南極に生息するヨロイヨコエビ類

A エピメリア・オキシカリナタ（体長約26 mm）／ B エピメリア・グランディロストゥリス（約25 mm）／ C〜F エピメリア・イネルミス（約36 mm）／ G エピメリア・ルブリエクエス（約70 mm）／H エピメリア・ラルスイ（約55 mm）／ I エピメリア・ドブロイエイ（33 mm）／ J エピメリア・アカントケロン（約45 mm）／ K エピメリア・コールマンイ（約47 mm）／ L エピメリア・レルツアエ（約30 mm）／ M エピメリア・パンドラ（約45 mm）／ N エピメリア・レオプロイ（約40 mm）／ O エピメリア・キフォラキス（約42 mm）

撮影：C. d' Udekem d' Acoz（A〜D, K〜O）／Frédéric Busson（E）／T. Riehl（F）／Armin Rose（G）／Frédéric Busson（H）／Gauthier Chapelle（I）／Cyril Galut（J）

ヨコエビはなぜ「横」になるのか

はじめに

「ヨコエビ」という生き物をご存じだろうか。残念ながらヨコエビは一般的にはあまり知られていない生物である。食用として利用されることもなく、それゆえ人間生活に直接かかわりがないことがその主な理由だろう。それではヨコエビは何の役にも立たない生物なのかというと、とんでもない。毎日、私たちの食卓にはたくさんの種類の魚がのぼるが、ヨコエビはそうした魚類の主要な餌なのである。つまり私たちの食卓はヨコエビに支えられているといえるだろう。また、ヨコエビは落葉や死んだ動物の肉などを積極的に食べて分解する。ヨコエビは自然界の「掃除屋」としても欠かせない存在である。このように、ヨコエビは自然界で私たちの生活を陰で支える重要な役割を担っている。そして何といっても、ヨコエビ自身がじつに魅力にあふれた面白い生物なのである。

ヨコエビは名前に「エビ」と付くことからエビの一種と思われるかもしれない。しかし、ヨコエビはエビとは全く別の生物で、ダンゴムシやフナムシなどに近い仲間である。

ヨコエビのすごいところは、水深一万メートルより深いマリアナ海溝のような深海から標高五〇〇〇メートルをこえるヒマラヤの氷河湖まで、じつにさまざまな場所にたくさんの種類がすんでいて、しかも個体数がとても多いことである。つまり、地球上のあらゆる環境で繁栄しているのである。

例えば、海水浴で賑わう浅い海をのぞいてみよう。静かにみえる海の中だが、海藻の間や石の下などには色も形もさまざまなたくさんのヨコエビがみられ、大変賑やかである。そうかと思えば、地球上で最も深いマリアナ海溝にも深海性のヨコエビが潜んでいる。海だけではない。身近な池や川といった淡水環境にもさまざまな種類のヨコエビがみられる。光の届かない洞窟などの地下水には、暗黒の環境に適応して眼を失った独特な種類がすんでいる。さらには水を飛び出して砂浜や内陸の森林にまですみかを広げた種類もいる。

ヨコエビはその動きも面白い。ヨコエビは、名前の通り「横」になったまま素早く歩きまわる。このような奇妙な「横歩き」は、ほかのどの動物にもみられないヨコエビだけの特徴である。ヨコエビの独特な体のつくりが、この横歩きを可能にしているのである。

ヨコエビは植物質の餌から動物質の餌まで何でもよく食べる。中には木くずを食べて消化してしまう種類もいる。そして、餌のとり方も千差万別である。どのような環境でも、そこにあるものを食べて生きていくことができるというたくましさに、ヨコエビの繁栄の秘密が隠されているようだ。

ヨコエビは繁殖方法もユニークである。ヨコエビをはじめ、多くの甲殻類の雌は脱皮直後のまだ体の柔らかいうちに卵を産む。彼らは基本的に体外受精を行うため、雌が産卵すると雄が精子を放出して卵を受精させる。そこで、ある種類のヨコエビの雄は確実に雌と交尾できるように、雌が脱皮するまで雌を抱きかかえてキープし続けるという面白い行動を示す。雄が雌を求めて、危険を承知で天敵の待ち構える海中に出ていく種類もいる。また、雌は卵を産みっぱなしにするのではなく、子供がふ化するまで胸に抱えて保護することで子供の生存率を上げることができる。こうした繁殖行動により、ヨコエビはどのような環境でも確実に子孫を残すことができるのだろう。

ヨコエビは体が小さな生物で、多くの種類は体長が一センチメートル以下である。ところが深海域や南極の海、古代湖のバイカル湖には、体長が八センチメートルをこえるような大型の種類がすんでいる。中には、二〇センチメートルをこえる巨大なものさえいるのだ。なぜ深海や南極、バイカル湖のヨコエビは巨大化するのか、その理由は長い間謎に包まれていた。最近の研究により、水中の酸素濃度がヨコエビの巨大化に大きな役割を果たしていることが分かってきたのである。

ヨコエビは、これまではほとんど知られていなかっただけで、じつは面白い「秘密」に満ちあふれている生物である。そして、ヨコエビの数々の秘密について知ることで、地球上でヨコエビが繁栄している理由に少しでも迫りたいというのが本書の狙いである。

ヨコエビの秘密を知ったあなたは、次は自分自身でヨコエビについて調べたくなるに違いない。本書では、ヨコエビを調べるための方法も紹介する。

あなたも「横」になって肩の力を抜きつつ、ユニークなヨコエビの世界をのぞいてみませんか。

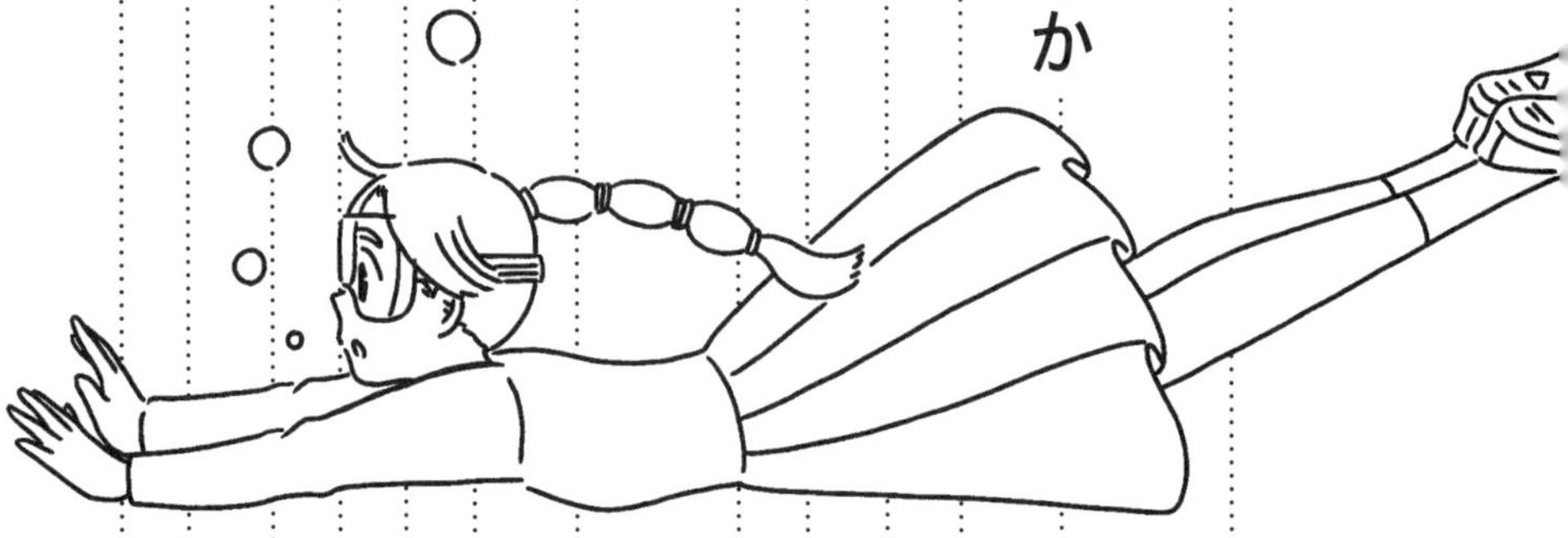

第3章

巨大化するヨコエビの謎

第4章

ヨコエビを調べてみよう

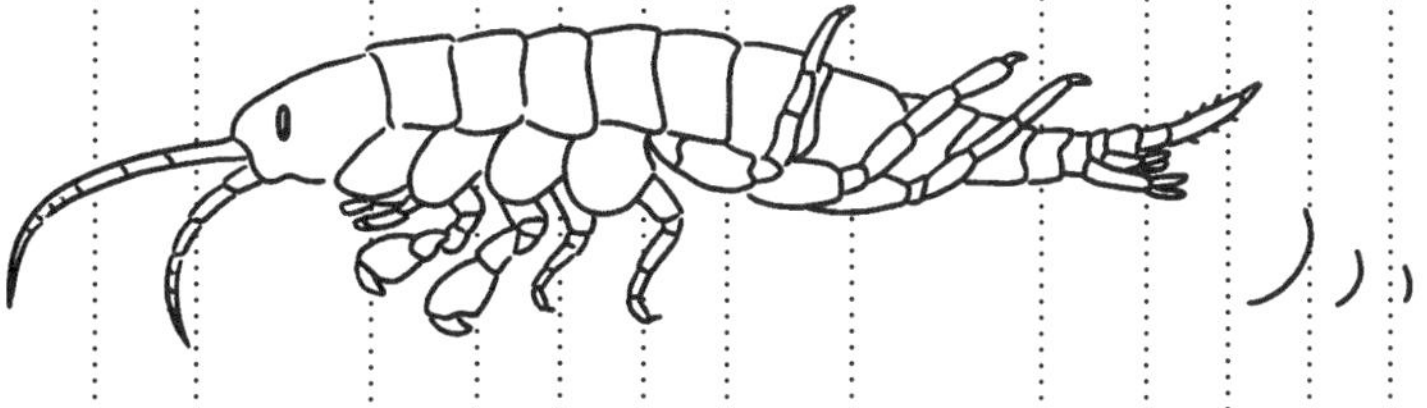

第1章 ヨコエビはなぜ「横」になるのか

あなたは「横になる」という姿から何を思い浮かべるだろうか。ふつうは休んだり眠ったりしている姿をイメージする人が多いだろう。しかし、休息しているときだけではなく、常に体を横にして生活している動物がいる。

ヒラメやカレイの仲間がそうである(図Ⅰ-1)。ヒラメやカレイは「底魚」といわれるように水底を這うように生活しており、泳ぎはあまり得意ではない。彼らの体は平べったいが、背腹方向に扁平なのではなく、左右に平たくなったものである。そして、体の左右どちらかの面を海底に着けて、日がな一日横たわっている。

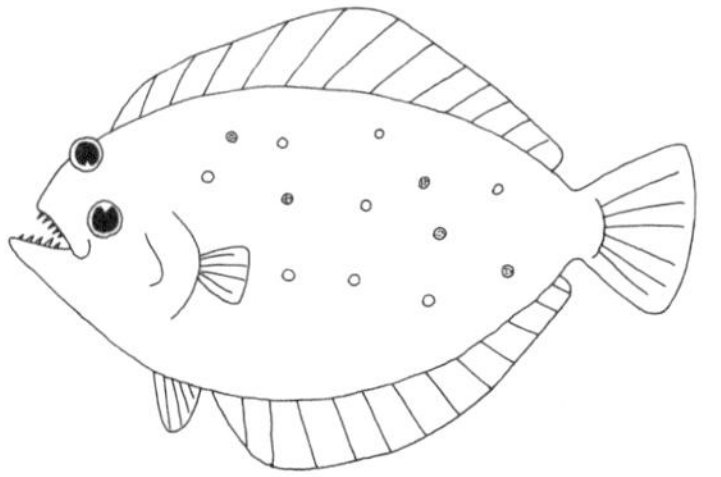

図Ⅰ-1　ヒラメ

ヒラメやカレイの体は、水底に接している側面は白っぽく、逆に水面を向いている方は黒っぽくなっている。この色彩は保護色になっており、上からの敵にみつからないように水面を向いた側面は海底の砂に似せた色になっている。いっぽう、反対の側面は基本的に底についているためにカモフラージュの必要はなく、そのため白くなっていると考えられている。また、「左ヒラメに右カレイ」といわれるように、ヒラメの眼は体の左側に、カレイの眼は右側に偏って付いている。なお、例外もあり、左に眼が付いているカレイもいる。ヒラメやカレイは、しかし、生まれたときから眼が片側どちらかの面に集まっているわけではない。卵からふ化した稚魚の眼はふつうの魚のように左右に分かれており、体も扁平ではない。成長にともない、徐々に眼が片側に移動していき、体は平たくなるのである。

じつはヒラメやカレイのほかにも体を横にして生活している動物がいる。エビやダンゴムシと同じ甲殻類の仲間のヨコエビである。ヨコエビはヒラメやカレイのように両眼の位置が左右どちらかに偏るようなことはなく、一生体は左右対称のままである。動物界広しといえども、左右対称の体を維持したまま横になって移動する動物はヨコエビしかいない(図1-2)。

1. ヨコエビの正体

ヨコエビは珍しいのか？

このように動物の中でもずいぶんと変わった特徴をもつヨコエビだが、けっして珍しい動物ではない。いやむしろ、どこにでもいるとさえいえる。

スーパーでワカメやコンブを買うと小さなエビのようなものが付いていることがある。いわゆる海藻の「異物」であるが、これらの大部分はヨコエビの仲間である。食品であるワカメやコンブにヨコエビが付いているというのは、一般的にはあまり気持ちのよいものではないかもしれない。

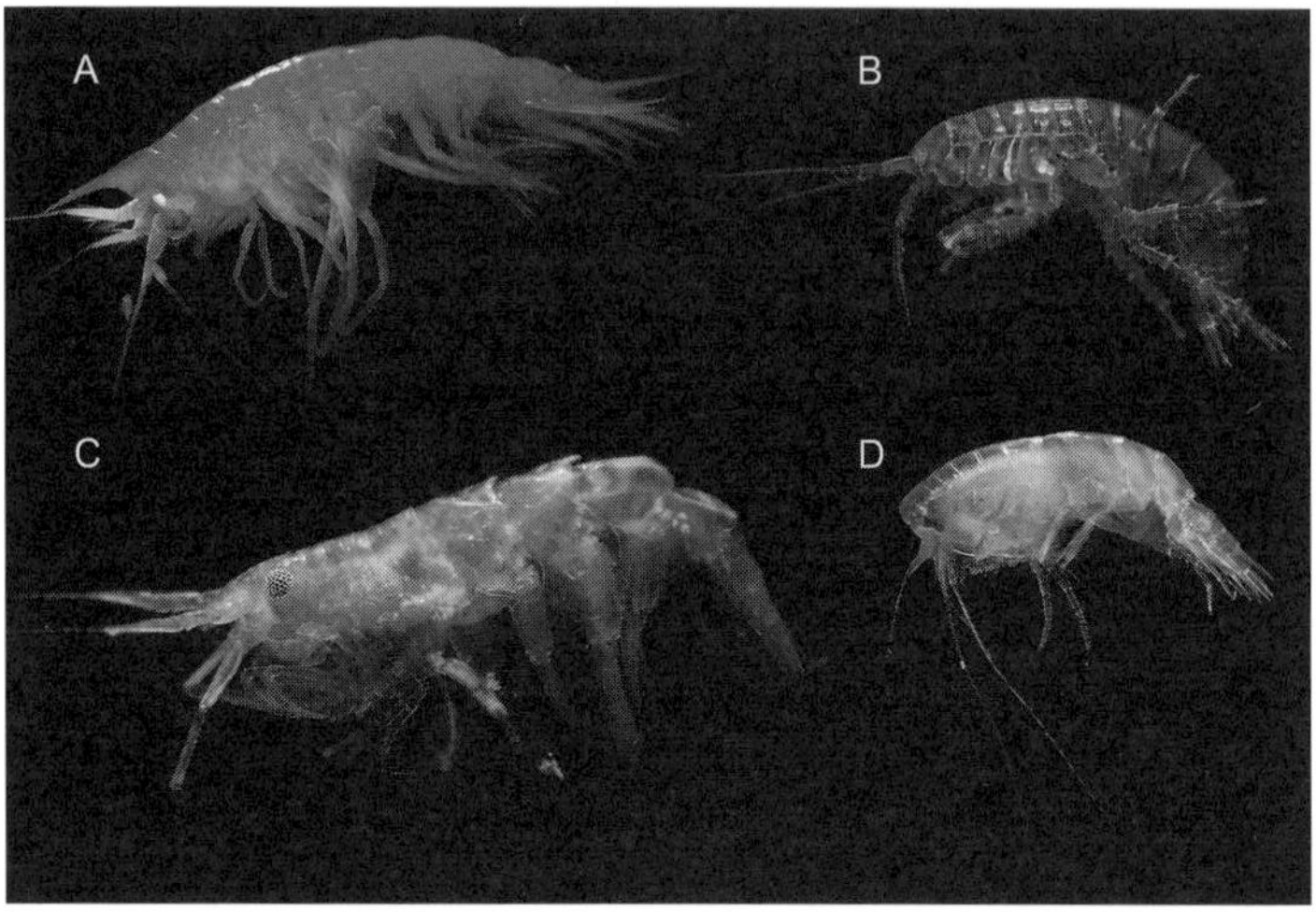

図Ⅰ-2　さまざまなヨコエビ類。(A)トンガリネコゼヨコエビ。(B)ミカドヨコエビ。(C)レイワリュウグウヨコエビ。(D)マルネコゼヨコエビ。

しかし、甲殻類であるヨコエビは、たとえ食したとしても栄養になることはあれど害はないのでご安心いただきたい。

ヨコエビが最も多くみられるのは海で、特に海藻を好んで生息場所にしているものが多い。海岸の岩場にはさまざまな海藻が繁茂しているが、海藻中にはおびただしい種類と数のヨコエビが生息しており、まるで「ヨコエビ・パラダイス」である。

淡水域にもヨコエビは多い。近年の銘水ブームで、有名な湧水ともなれば水をくむ人の行列ができている。湧水とは地下水が地表に自然に出てきたもののこと、つまり「わき水」である。こんこんと湧き出る冷涼できれいな水は、人間だけではなくヨコエビも大好きだ。水汲みの合間にそっと水の中をのぞいてみよう。忙しそうに水底を這いまわったり、カワゴケの間を泳いだりしているヨコエビの姿をみることができるだろう。

深海は暗黒・高圧・低水温という地球上でも屈指の極限環境であり、それだけで神秘的な魅力にあふれているが、その深海に生息する珍奇な生物の人気も高まっている。最近はＮＨＫスペシャルをはじめとして深海生物を扱った番組が多く放送されているが、これらの番組中でクローズアップされたことでヨコエビの存在を知った人もいるかもしれない。ヨコエビは大きな水圧と低い水温、そして光の届かない暗黒という過酷な深海環境に適応し、水深一万メートルをこえるマリアナ海溝にも生息している。まさに、地球最深部に進出した動物である。

ヨコエビは水を飛び出して陸にもいる。海水浴で行った砂浜を思い出して欲しい。打ち上げられた海藻をもち上げると、小さな虫のような生き物が跳ねているのをみたことはないだろうか。これはハマトビムシとよばれる陸にすむヨコエビの仲間である。名前に「ハマ」とあるが砂浜だけではなく、森林の湿った落ち葉の下など、完全な内陸環境にも生息している。

ヨコエビは甲殻類の仲間

このように、あらゆる環境にみられるヨコエビだが、それではヨコエビとはいったいどのような動物なのだろうか。ヨコエビはエビやカニ、ミジンコなどとともに、甲殻類とよばれる仲間である。

まずはヨコエビが属している甲殻類についてみていこう。

甲殻類の多様性

甲殻類は節足動物という大きなグループに属している。節足動物には、チョウやハチなどの身近な昆虫から、植木鉢やプランターの下でみつかるダンゴムシやムカデ、庭の木の間に巣を張るクモなどが含まれ、その多様性はほかに例をみないほど豊かである(図1-3)。現在は化石でしかみられない三葉虫も、古生代の海で繁栄していた節足動物の仲間である。

節足動物には非常に多くの種が含まれており、これまでに一〇〇万以上の種が知られている。この種数はリンネ(スウェーデンの博物学者)以来、分類学で名づけられた全ての動物種のうち八〇%以上を占めるというから驚きだ。節足動物は、その種数において、地球上で最も繁栄している動物の仲間といえる。

節足動物は生息環境も多様で、海や汽水、淡水域から陸域まで幅広い環境に適応している。エビやカニのように海底を這いまわったり、ミジンコのようにプランクトンとして水中を漂う自由生活を行う種だけではなく、ほかの生物に寄生する種も多く知られている。ノミやシラミはヒトなどの哺乳類の体表に付いて吸血することで嫌われがちな生物であるが、彼らは昆虫の仲間である。キンギョやコイなどの観賞魚を飼育していると、チョウやイカリムシとよばれる寄生虫に寄生さ

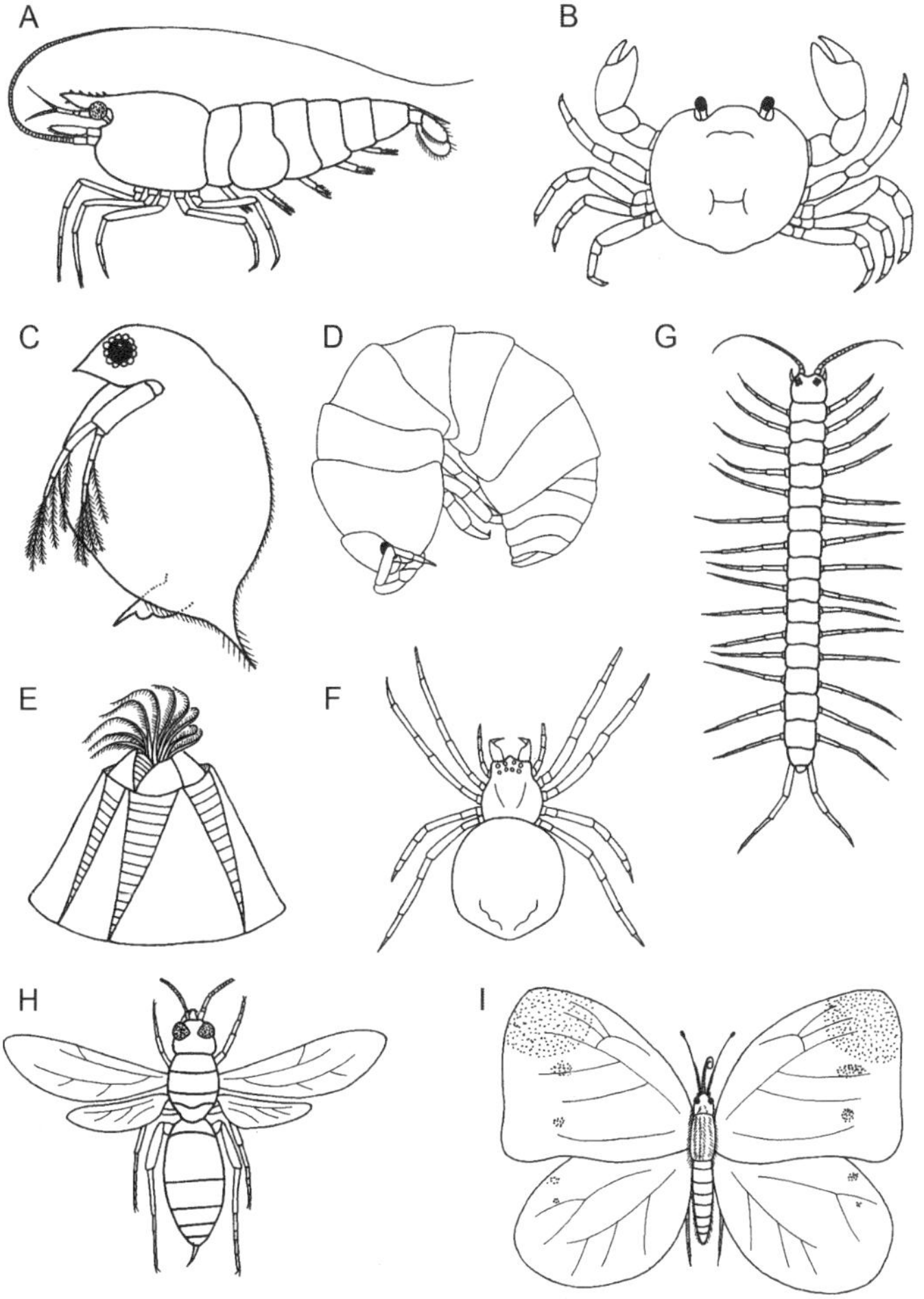

図Ⅰ-3　節足動物の多様性。(A) エビ (甲殻類)。(B) カニ (甲殻類)。(C) ミジンコ (甲殻類)。(D) ダンゴムシ (甲殻類)。(E) フジツボ (甲殻類)。(F) クモ (鋏角類)。(G) ムカデ (多足類)。(H) ハチ (昆虫類)。(I) チョウ (昆虫類)。

れてしまうことがある。彼らは魚の体表に付いて体液を吸って魚を弱らせてしまう。じつはチョウやイカリムシもエビやカニと同じく、れっきとした甲殻類なのである。

節足動物の中では昆虫類が群を抜いて種数が多く、その数は八〇万種をこえるといわれる。しかし水生昆虫とよばれるゲンゴロウやミズカマキリ、トンボやカゲロウの幼虫などを除くと、昆虫類は水中環境にはあまりみられず、主に陸域で栄華を誇っている。これに対し、水中での生活に適応することで高い多様性を獲得したのが甲殻類である。

甲殻類はエビやカニ、シャコなど水産上重要な種類を多く含むため、人間生活にもかかわりが深い。大きさや形はグループによりさまざまである。

最も小さい甲殻類はヒメヤドリエビ類で体長〇・一ミリメートル以下、ほかの甲殻類の体表に寄生する微小甲殻類である。著者は体長一ミリメートルのソコミジンコの触角に付着(寄生)したヒメヤドリエビを採集したことがあるが、顕微鏡を使って観察してもヒメヤドリエビは「点」にしかみえず、そのサイズの小ささには驚かされた。これほど小さなヒメヤドリエビを発見し、さらに甲殻類の仲間であることを明らかにした研究者の観察眼には敬服する。

逆に最も大きい甲殻類はタカアシガニで、脚を広げると三メートルをこえる(図1-4)。タカアシガニは、世界でも日本近海と台湾沖の深海だけに生息するカニである。日本を代表する甲殻類といってよいだろう。

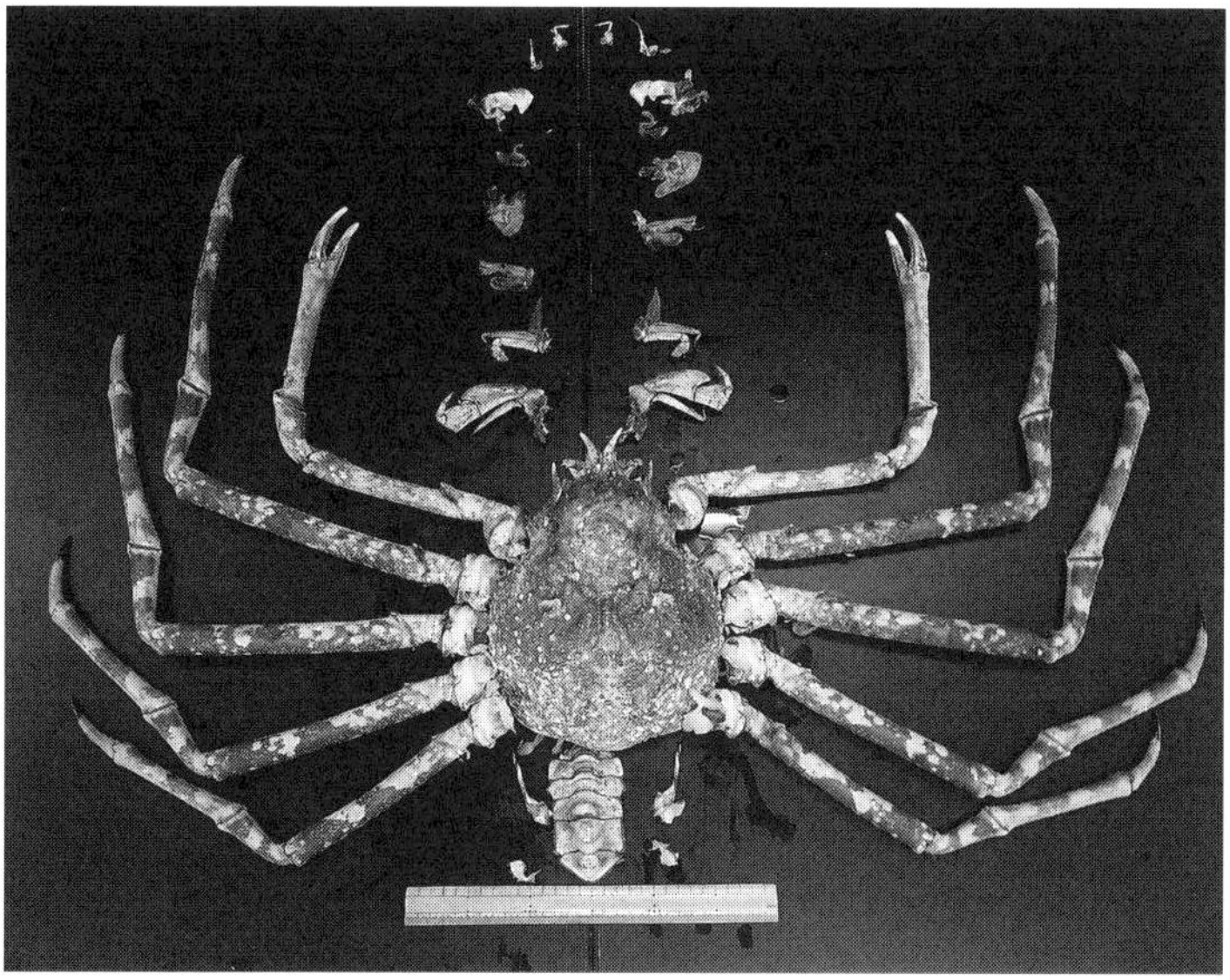
図Ⅰ-4　タカアシガニ（すべての脚を外したところ）。カニの下にあるのは30 cm定規。

多くの甲殻類は海に生息する。海にすむ甲殻類の体内の塩濃度（浸透圧）は海水の塩濃度とほぼ同じであるため、海水中で生活している限りは体内の塩濃度を調節する必要はない。これに対し、河川や湖沼などの淡水環境にすむ種類は、体内の塩濃度が淡水よりも高い。つまり、淡水域に生息する甲殻類はエネルギーを使って体内の塩濃度を体外の淡水よりも高く保つように調節しているのである。河口などの汽水域は潮の満ち引きの影響を受けて一日のうちでも塩濃度が大きく変化するため、高い調節能力が求められる。さらにダンゴムシ類やヨコエビの仲間のハマトビムシ類などは乾燥に対する耐性を獲得し、砂浜や森林などの陸域にも進出している。

このように、あらゆる環境に適応進化してきた甲殻類の起源は古く、古生代カンブリア紀にまでさかのぼるという。

脱皮して成長する

甲殻類の体のつくりをみてみよう。まず目につくのは、体の表面がかたい殻のような外骨格に覆われていることである。ヒトなどの哺乳類では体の内部にかたい骨があり(内骨格という)、表面は柔らかい皮膚に覆われているのとは正反対である。そのため、甲殻類は成長して体の内部が大きくなってくると、このかたい殻がどうしても邪魔になる。そこで、繰り返し外骨格を脱ぐのである。これを脱皮という。

甲殻類の外骨格は、タンパク質やキチンからなるクチクラにカルシウムが沈着してかたくなっている。海水中には豊富にあるカルシウムも、淡水や陸上環境では貴重な資源である。淡水にすむザリガニや陸生のダンゴムシなどを飼育していると、脱皮した殻を食べている姿をみることがある。これは、脱皮殻を食べることでカルシウムなどを再吸収し、資源を節約するためであると考えられている。

脱皮直後は外骨格が柔らかいため、天敵に襲われると非常に危険である。そのため、多くの甲殻類は、脱皮後は体がしっかりとかたまるまで物陰に隠れる。ところが私たち人間は、脱皮したてのカニを「ソフトシェルクラブ」とよんで食用にする。殻が柔らかいため、殻をむかずに丸のまま調理して食べることができるのである。日本ではあまり馴染みがないが、海外ではメジャーな食材らしい。北アメリカの大西洋沿岸にすむアオガニ(ブルークラブ)などがソフトシェルクラブとして食用にされるという(武田 一九九二)。

甲殻類の体のつくり

甲殻類の体は、たくさんの節(専門用語で体節とよばれる)に分かれている。体節とは体の前後方向に繰り返される立体構造の単位のことであり、原則としてひとつの体節ごとに一対の脚(付属肢とよばれる)をもつ(図I-5)。

付属肢もいくつかの節(これは体節ではない)に分かれている。節と節のつなぎ目が関節で、付属肢は関節部分で折り曲げることができる。そのため、甲殻類の付属肢は関節肢ともよばれる。「節足動物」という名前は、この関節がある脚をもつことに由来する。付属肢という

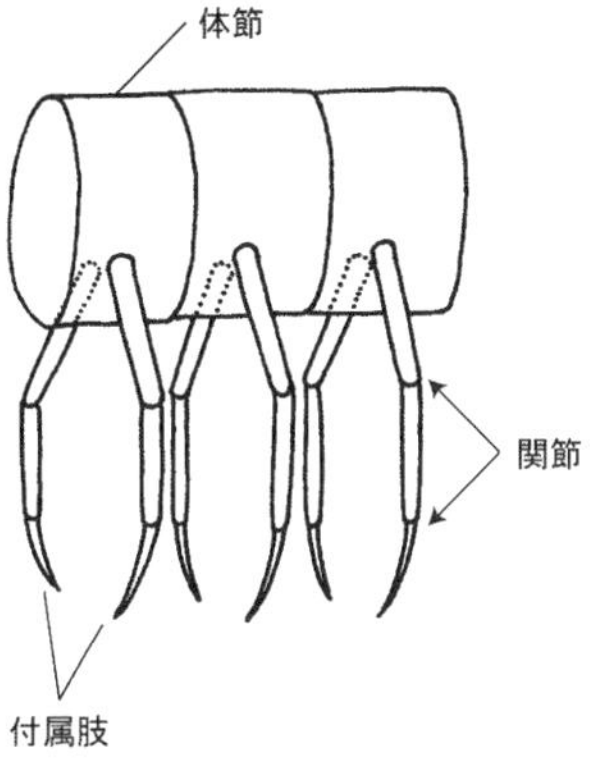

図I-5　節足動物の体節と付属肢。

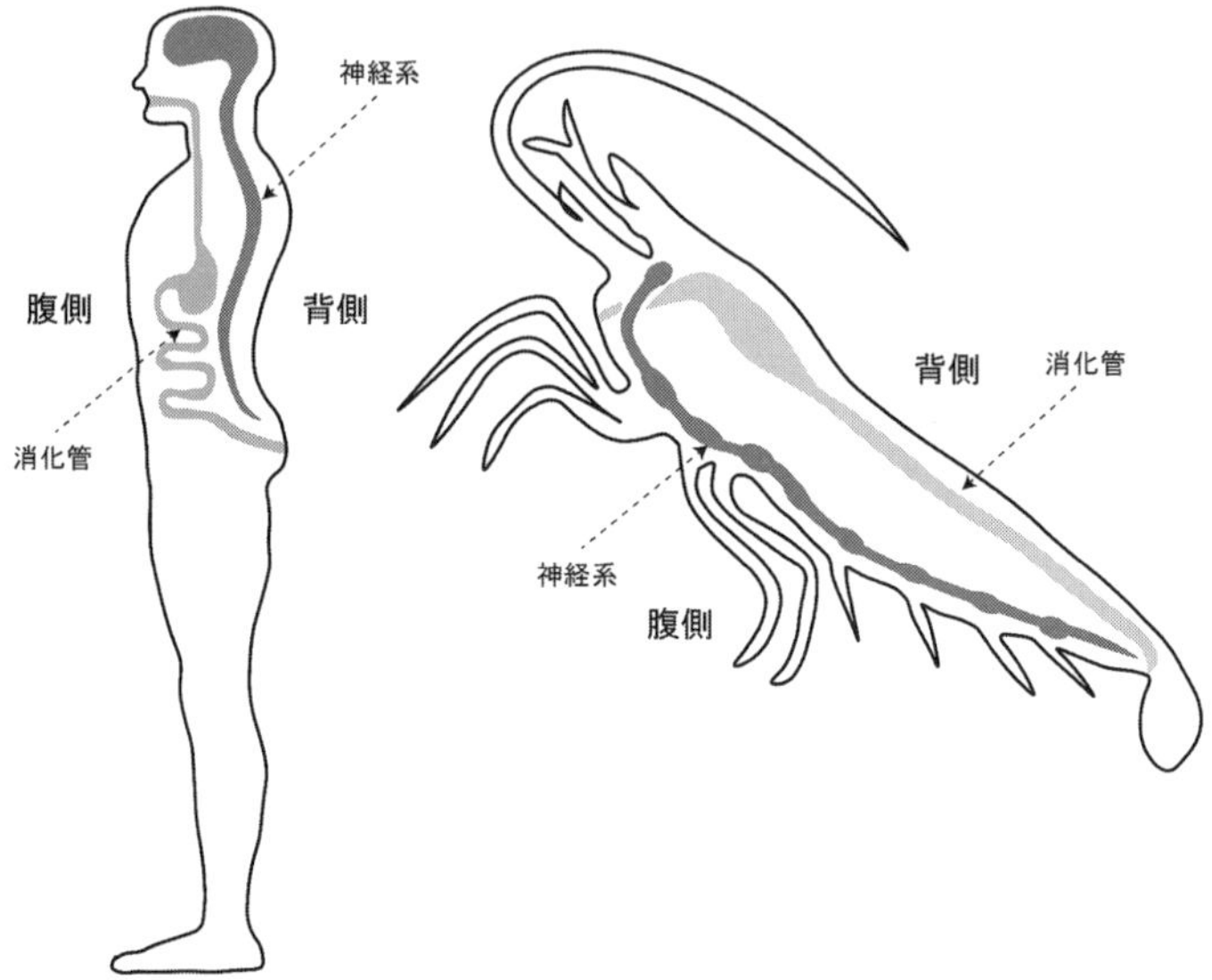

図Ⅰ-6　ヒト（左）とエビ（右）における神経系・消化管の位置関係（縦方向の断面）。

名称からは歩行のための脚を想像するかもしれない。しかし、歩行に使われる付属肢（歩脚）だけではなく、感覚機能をもつ触角や、摂食の機能をもつ顎なども付属肢の一部である。節足動物は、付属肢の形をそれぞれの働きに合わせて変形させているのである。後述するようにエビとヨコエビは体のつくりが大きく異なるが、ともに一九対三八本の付属肢をもつ点で共通している。

体の内部の形態についてもみてみよう。内部諸器官、筋肉、神経などは体節単位で繰り返して存在する。脳から脊髄へと続く神経系、そして食べものが通る道である消化管の位置関係を比較してみると、ヒトや魚などの脊椎動物の場合、脳から伸びる脊髄は背骨におさめられている。つまり、神経系は体の中の背側を走っている。これに対して胃や腸などの消化管は腹側に位置する。だから、内臓は「はらわた」なのである（図1-6左）。いっぽう、甲殻類では神経系が腹面に沿って走り、消化管が背側に位置する。だから、エビは「背わた（せわた）」なのである。エビを料理するときに「背わた」を取るというのは、背側に消化管があるからである（図1-6右）。

港の桟橋などにびっしりと付着したフジツボや、海岸の岩の隙間に生えるカメノテも、甲殻類の仲間である（図1-3E）。彼らは石灰質のかたい殻をもち、まるで貝のようだが、彼らもれっきとした甲殻類である。その証拠に、貝殻のようなその殻の中には甲殻類（節足動物）に特有の関節のある脚を備え、エビやカニのように脱皮を繰り返しながら成長するのである。フジツボなどは、「エビがひっくり返って腹面を上に向け、これが貝のような殻に覆われたような姿」であると考えると、その構造が分かりやすいかもしれない。

脚が「ハサミ」になる

カニやザリガニといえば、大きな「ハサミ」のイメージが強いのではないだろうか（図1-7）。ハサミをもつというのは甲殻類の大きな特徴のひとつである。甲殻類以外でハサミをもつ動物は、クモの仲間のサソリとカニムシくらいである。

甲殻類のハサミの機能としては、物を「切る」というよりも「挟む」方がより一般的であり、その点ではペンチやピンセットに近いといえる。カニやザリガニのハサミは大きくてよく目立つが、ハサミをもたないようにみえる小さなエビ類も、虫眼鏡などで拡大してみると脚の先がハサミ状になっていることに気付く。じつは、このハサミは脚が変形してできたものなのである。これはさまざまな甲殻類にみられる特徴なのだが、それではどのような構造をしているのだろうか。私たちが使っているハサミとは、そのつくりが異なるのだろうか。

ここでポイントとなるのは、甲殻類の脚は関節でつながれた複数の節でできていることである。

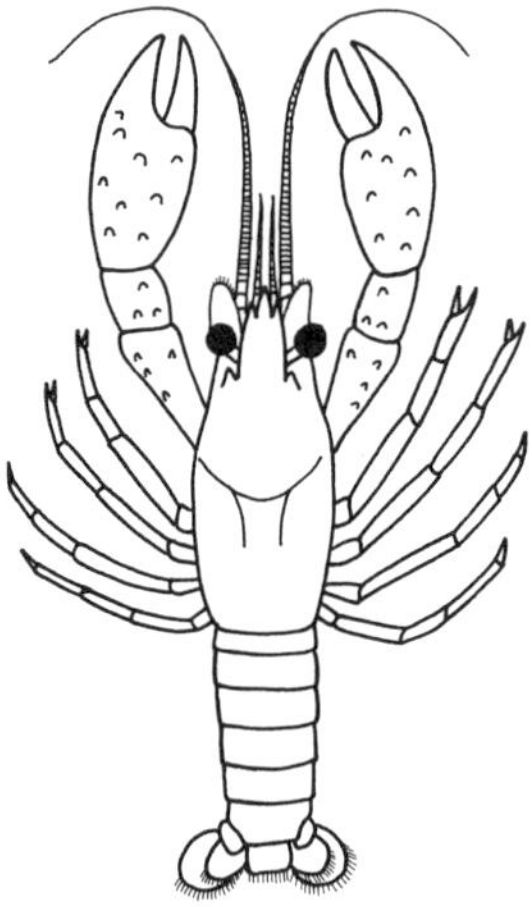

図Ⅰ-7　ザリガニ

我々が日常生活で使っているハサミは支点から伸びた2枚の刃の両方が閉じることでハサミとしての役割を果たす。いっぽう、甲殻類のハサミは、脚の一番先端の節と、先から二番目の節で構成されている(図Ⅰ-8)。カニ料理で出される「カニの爪」を思い出していただきたい。二本伸びている爪のうち、関節部分で動く爪が先端の節であり、幅広い基部と一体になっている爪が二番目の節である。ここには身が詰まっていて

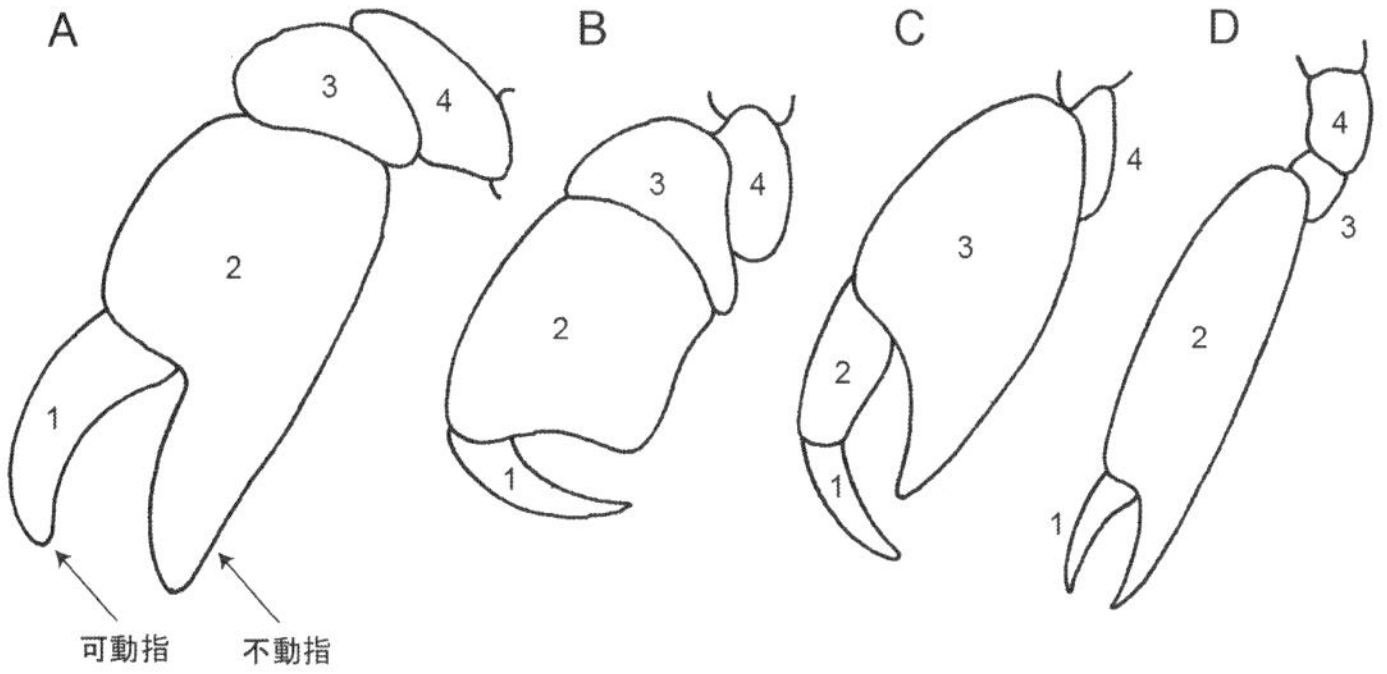

図Ⅰ-8　カニとヨコエビのハサミ。(A)カニのハサミ。(B～D)ヨコエビのハサミ。図中の数字は、先端から基部に向かって節の順番を示す。

食用にされるが、私たちが美味しく食べているその身は、先端の節を動かすための筋肉なのである。この筋肉は、先端の節から二番目の節の内部まで伸びている「腱」に付着している。つまり、ハサミは、先端の節と、長く伸びた二番目の節の突起部分の両方から構成されているのである。ハサミは先端の節だけが動くことで開閉する。このことから、先端の節を「可動指」、二番目の節の突起部分を「不動指」とよぶこともある。

ヨコエビの場合、完全なハサミをもつものもいるが、多くは亜鋏型とよばれる構造をとる（図Ⅰ-8B）。亜鋏型とは、カニのハサミとは異なり、不動指となる突起を欠くために先端の節と二番目の節の側面が向かい合うことになり、その結果、鎌のような形状になったものである。ヨコエビはこの鎌状の脚を使って餌を捕らえたり、繁殖の際に雌を抱えたりする。

ヨコエビの中には、脚の先端の節から三番目の節までの三節を組み合わせて複雑なハサミ構造を形成するものもいる(図1-8C)。ユンボソコエビとよばれるヨコエビの仲間は、その名の通り「ユンボ」のような形をしたハサミ脚をもつ。ユンボとは建設機械のパワーシャベルのことである。

余談だが、「バルタン星人」は特撮テレビ番組ウルトラマンシリーズに登場する架空の宇宙人である。その姿はセミとザリガニからデザインされたらしい。モデルとなった生物は、ともに節足動物である。しかし、バルタン星人のハサミを詳細に検討してみると、ハサミを構成する両方の刃を動かしていることが分かる。つまり、バルタン星人のハサミは、甲殻類のハサミとは根本的に構造が異なるのである。

エビの眼とヨコエビの眼

エビは眼が飛び出していることから「めでたさ」の象徴とされているらしい。エビをはじめ、多くの甲殻類は複眼をもつ。複眼とは、個眼とよばれる小さな眼が多数集まってできたものである。個眼一つだけでは物の形を識別できないが、複眼になることで形をみることができるといわれている。

エビの場合、複眼が「眼柄」とよばれる長い柄の先端に付いているために眼が飛び出しているようにみえるのである。このような眼を「有柄眼」といい、エビやカニ、シャコなどに特徴的な眼である(図1-16)。眼柄を動かすことで眼の向きを変えることができ、これにより視野を広げることができると考えられている。いっぽう、ヨコエビやダンゴムシなどの眼に眼柄はなく、複眼は頭部の外皮に直接ついている。このような眼を「固着眼」という(図1-16)。有柄眼は甲殻類の中でもかなり特殊化した眼の構造であるため、おそらく固着眼の方が進化的には古い形なのだろう。

有柄眼の柄には「X器官」という怪しげな名前の器官が存在する。じつはX器官は、脱皮を調節(抑制)するホルモンの分泌器官なのである。そのため、かわいそうな話だがエビやカニの眼柄を手術によって切除すると、体が十分に成長していないにもかかわらず脱皮を繰り返してしまう。ヨコエビに眼柄はないが、ヨコエビの場合X器官は頭部に存在することが分かっている(Hyne 2011)。

ところで、われわれヒトを含む多くの動物は眼を二つもつ。これは一つの眼が失われたときのための予備としてあるわけではない。眼が二つあることで物を立体的にみることができるのである。また、眼が一つの場合よりも距離感をつかむのが容易になるし、視力もよくなるのである。ふつう甲殻類も複眼を二つもつ。

いっぽうミジンコは複眼が一つしかなく、しかも頭部の内部に埋没している。ミジンコは体が透明であるため、頭部の内部に眼が埋没していても四方八方からの光を感知でき、問題はないのであろう。横からみた姿ではかわいらしいイメージのあるミジンコだが(図1-3)、正面からみると一つ目小僧のような、やや不気味な姿をしていることに驚いてしまう。なお、ミジンコの眼は光を感じるだけで、物の形を認識する能力はないらしい。

ヨコエビの分類

ここまで述べてきたように、ヨコエビは甲殻類の一員である。しかし、ヨコエビは名前に「エビ」と付くが「エビ」とは別物で、むしろダンゴムシやフナムシに近い仲間である。ヨコエビがダンゴムシの仲間とは、どういうことなのだろうか。ここではヨコエビの仲間分け、つまり分類について説明しよう。

生物の仲間分けは、私たちが住んでいる場所を国、都道府県、市町村、番地といった住所で示すやり方に似ている。生物の仲間分けでは、国や都道府県にあたる上位の階級から、市町村や番地にあたる下位の階級に向かって順に「界」「門」「綱」「目」「科」「属」「種」という階級を設定する。「種」とは生物を仲間分けするときの最も基本的な単位である。そして近縁な「種」をまとめたものが「属」であり、さらにいくつかの「属」をまとめたものが「科」である。このように、下位の階級から上位の階級に向かって次々と入れ子状にまとめていくのである。例えばヒトの所属は、動物界、脊索動物門、哺乳綱、霊長目、ヒト科、ヒト属、ヒトとなる。

このような仲間分けのシステムを階層分類とよび、階層分類によってできあがったものが階層分類体系である。生物を体系立てて理解するとき、階層分類という入れ子状の階級概念はとても役に立つ。

さて、ヨコエビとエビについて階層分類を行うと次のようになる。

動物界
　節足動物門
　　甲殻亜門※
　　　軟甲綱
　　　　フクロエビ上目※※
　　　　　端脚目（ヨコエビ目）
　　　　　　ヨコエビ亜目※※…**ヨコエビの仲間**
　　　　　等脚目（ワラジムシ目）…**ダンゴムシの仲間**
　　　　ホンエビ上目※※
　　　　　十脚目
　　　　　　クルマエビ亜目（クルマエビの仲間）…**エビの仲間**
　　　　　　エビ亜目（クルマエビ以外のエビ、カニ、ヤドカリ）…**エビの仲間を含む**

※「亜門」とは「門」の下に設けられた、「門」と「綱」の間に位置する分類階級である。
※※「上目」と「亜目」は、それぞれ「目」の上と下の分類階級である。

ヨコエビが含まれる節足動物は、節足動物門という「門」の階級に位置する。節足動物門の中には大きく四つのグループがあり、それらには「亜門」という階級が割り当てられている。すなわち、クモなどが含まれる鋏角亜門、ムカデなどが含まれる多足亜門、チョウやバッタなどが含まれる六脚亜門、そしてエビやカニなどが含まれる甲殻亜門である。ヨコエビは、エビやカニなどと同じ甲殻亜門に含まれる。

次に「亜門」の下位の「綱」をみてみよう。ヨコエビもエビと同じ軟甲綱に含まれることが分かるだろう。ヨコエビもエビも、「綱」レベルでは軟甲類という同じ仲間なのである。なお、「軟甲」という名前からは「柔らかい甲羅」をイメージするかもしれないが、これは貝類やフジツボ類がもつ「石灰質の殻に対して柔らかい」という意味で名づけられたという。まことに紛らわしい命名である。

さて、「綱」以下の階級におりていくと、ヨコエビとエビは異なるグループに仲間分けされていく。ヨコエビは軟甲綱の中のフクロエビ上目という仲間に入れられている。いっぽうエビはホンエビ上目の一員である。つまり、ヨコエビとエビは分類階級でいうと上目レベルで異なることになる。

ダンゴムシもヨコエビと同じフクロエビ上目のメンバーである。はじめに「ヨコエビはダンゴムシに近い仲間である」と述べた理由はここにある。フクロエビ上目は雌の腹面に育児用のスペース(専門用語では育房)をもち、この中に卵を産んでふ化するまで保護するという特徴をもつグループである。ヨコエビはフクロエビ上目の中の端脚目(ヨコエビ目ともいう)に属し、ダンゴムシは

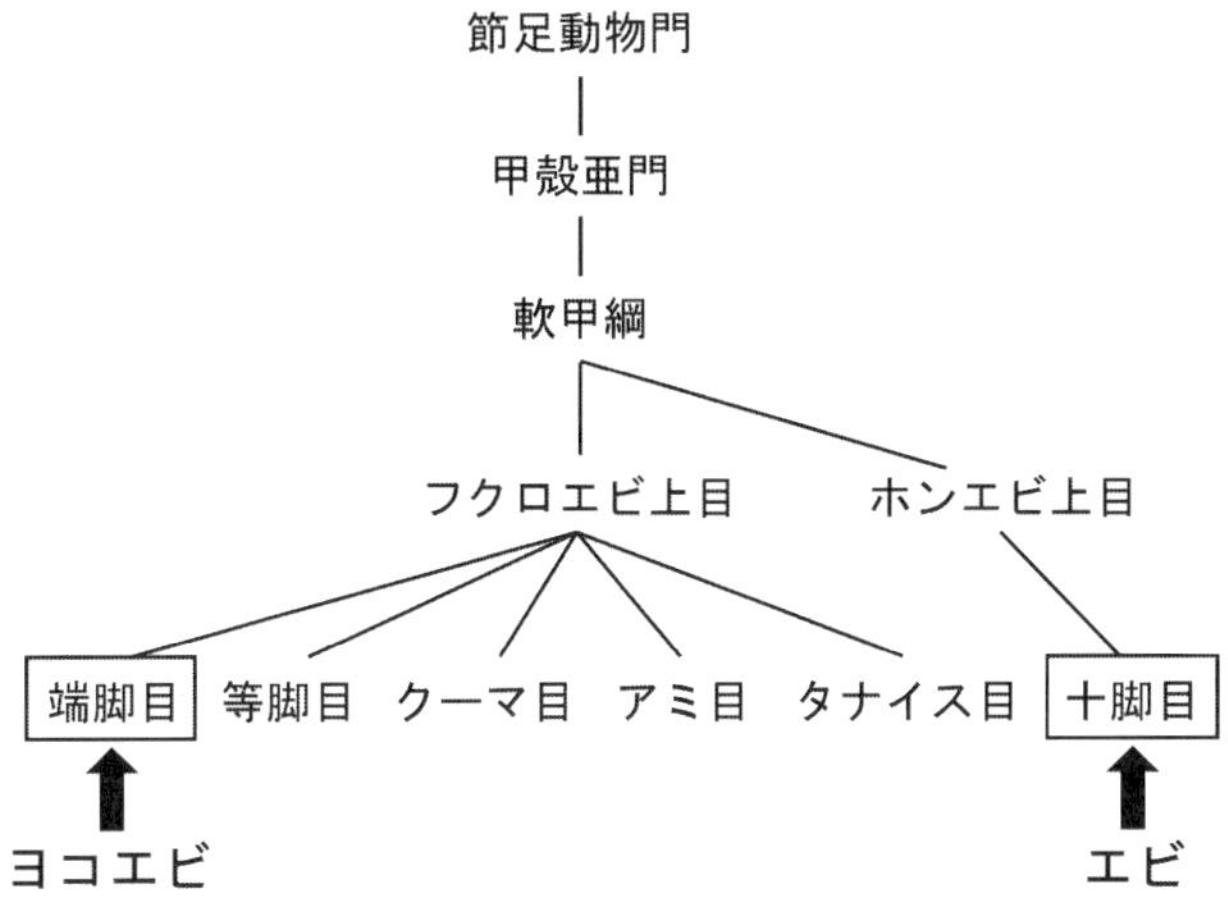

図I-9　ヨコエビとエビの分類学的位置。

等脚目（ワラジムシ目ともいう）という別のグループに入れられている。ヨコエビとダンゴムシの関係を分類学的に正確に示すと「上目レベルで同じ仲間だが、目レベルで異なる」となる（図I-9）。

ヨコエビが所属する端脚目は、さらに四つの亜目（ヨコエビ亜目、ワレカラ亜目、クラゲノミ亜目、インゴルフィエラ亜目）に分けられている。ヨコエビとは、この中のヨコエビ亜目に含まれる種のことである。つまり、ヨコエビとは「ヨコエビ亜目に含まれる全ての種の総称」なのである。

エビについては少々話が込み入っている。エビ、カニ、ヤドカリなどが含まれる十脚目は、クルマエビ亜目とエビ亜目という二つのグループに分けられている。クルマエビ亜目に入るのはクルマエビの仲間で、これは「エビ」である。問題になるのは、もう一つのグループのエビ亜目である。エビ亜目には、寿司ネタとしてポピュラーなアマエビやボタンエビ、イセエビなどのほかにカニやヤドカリといった、いわゆる「エビではない」種類まで含まれてしまうのである。つまり私たちがエビとよぶ動物は、じつはクルマエビ亜目とエビ亜目という異なるグループに所属している「エビ形をした動物」の寄せ集めだったのである。

ここまで生物の仲間分けの方法についてみてきたが、それぞれの分類階級名の代わりに「類」を使うことも多い。「類」は特定の分類階級を明示せずに「○○の仲間」という意味の接尾語として使われる。研究論文では少ないが、生物について書かれた一般書や教科書類では、この「類」を使うことが多い。では、ある生物のグループを「○○類」とする理由は何だろうか。

ひとつは、研究者によって、そのグループのとらえ方が異なることが挙げられる。例えばヨコエビが含まれる甲殻類にはかつて「綱」の分類階級が割り当てられており、甲殻綱とされていた。それが最近になって「綱」から「亜門」に昇格して甲殻亜門とされたわけである。しかし、甲殻類の分類階級が「綱」なのか「亜門」なのかについては明確な基準があるわけではなく、研究者によって解釈が異なることがある。このような場合は、「綱」や「亜門」を使って特定の階級を明示するよりも、甲殻類と表記しておいた方が無難といえよう。特にいわゆる複数解を避けたい中学校や高等学校の教科書などで、生物グループの分類階級名が明示されないことが多い理由は、ここにあると考えている。

もうひとつの理由として、分類階級名は一般になじみが薄いため、文章中に階級名が頻繁に出てくると読みにくいことが挙げられる。本書では主に後者の理由から、分類階級を明示する必要がある場合を除き「類」を用いることとした。

ヨコエビの種数

地球上にはたくさんの種類の生物がいる。そのため、生物の種類を間違いなく区別するためには名前が必要である。そこで、ちょうど私たち一人ひとりに名前があるのと同じように、それぞれの種類に名前が付けられているのである。

世界で共通の生物の名前を学名という。「種」は生物を仲間分けするときの最も基本的な単位であるが、これは属名と種小名の組み合わせで表記する。私たち個人の名前が名字と名前の組み合わせからなるのと似ているといえば分かりやすいだろうか。学名は基本的にラテン語(またはラテン語化されたギリシャ語)で表され、ふつうイタリック体で記される。学名は「分類学の父」とよばれるスウェーデンの博物学者リンネ(図1-10)の提唱により、現在の形で使用されるようになった。

これに対し、モンシロチョウやツキノワグマのように主に日本で使われる生物の名前を和名といい、カタカナで表記されることが多い。その中でも、特に学名と一対一で対応するように調整されたものが、標準和名である。図鑑などに掲載されている和名は、ふつう標準和名である。

図Ⅰ-10　（左）リンネの像とリンネが暮らしていた自宅。現在はリンネの記念館として公開されている。（右）リンネ庭園。リンネはこの庭園（植物園）の中に家をつくり、研究を続けながら没するまでこの家に住んだ。

和名と学名について、具体的な例を挙げて説明しよう。私たち人間の学名は*Homo sapiens*で、ホモ・サピエンスと読む。標準和名はヒトである。ヒトの学名の*Homo*が属名、*sapiens*が種小名である。ラテン語で*Homo*は「人（ヒト）」、*sapiens*は「賢い」という意味で、つまり「賢い人」となる。ヒトの学名はリンネによって一七五八年に名づけられた。種の学名は命名者と命名された年をあわせて表記することもある。ヒトの学名を命名者と命名年の情報とともに書くと*Homo sapiens* Linnaeus, 1758となる。

ヨコエビの仲間は、世界に約一万種が知られている。エビ・カニの仲間の既知種が約一万一〇〇〇種であることと比較すると、ヨコエビがエビ・カニに匹敵する大きなグループであることがお分かりいただけるだろう。

それでは、日本にはどれくらいの種類のヨコエビがいるのだろうか。これまでに日本からは約四〇〇種が報告されている。ほとんどの種は海にみられるが、約四〇種は淡水中にすむ種で、約二〇種は陸にすむ種である（Tomikawa 2017）。しかし、日本に何種のヨコエビがいるのか、じつは専門家も正確には分からないのである。

日本にどのくらいの種数いるのか分からないとは、どういうことなのだろうか。

日本は新種ヨコエビの宝庫

日本列島は南北に長く、亜熱帯から亜寒帯まで幅広い気候帯を含む。さらに海岸線や内陸の地形も複雑である。そのため、日本列島は多くの動物や植物がみられる、生物多様性の高い地域である。この複雑な気候的・地理的要因により、日本列島のヨコエビ相も、また世界で有数の豊かさを誇っている。

ところが、日本におけるヨコエビの研究はまだまだ不十分である。これまで詳しい調査が行われたのは限られた地域だけで、日本のほとんどの場所が調査の手が入っていない「未知の領域」なのである。そして、そこには未だ発見されていない種がかなりの数いると考えられている。つまり「日本にどのくらいのヨコエビがいるのか分からない」というのは、未知の種が多すぎて全貌がつかめていない、ということなのである。これまでに日本からは約四〇〇種のヨコエビが記録されていると述べたが、さらにくまなく調べれば千種をこえると予想されている（石丸二〇〇一）。

現在、著者らをはじめとしてヨコエビ研究者の努力により、毎年かなりの数の新種が報告されている。しかし、研究を進めれば進めるほど新しい種が次々とみつかり、日本のヨコエビの多様性の高さに驚くばかりである。

新種は深海などのいわゆる「辺境の地」からだけではなく、身近なところからもたくさんみつかっている。例えば近所の海岸に行ったとしよう。海藻をもち上げたり、石をひっくり返したりすれば、たくさんのヨコエビをみつけることができるだろう。おそらく、それらのヨコエビの中には、名前の付けられていない種が多く含まれているはずである。次に、著者らによるヨコエビの新種発見のエピソードを紹介したい。

発見から九一年を経て新種と判明したヨコエビ

山口県西部に位置する秋吉台の地下には、日本最大の鍾乳洞が広がっている。秋芳洞(あきよしどう)とよばれるその洞窟は国の特別天然記念物に指定されており、古くから観光地として人気が高い。秋芳洞は洞窟に生息する生物の研究についても歴史が長く、洞窟内の水域からはアキヨシミズムシ(甲殻類)やアキヨシミジンツボ(巻貝類)などの地下水生物がみつかっている。

その中でも、洞窟の地下水を代表する動物がメクラヨコエビの仲間である。メクラヨコエビ類は、体長約一センチメートル程度の眼のないヨコエビである。一センチは小さいと思われるかもしれ

図Ⅰ-11　秋芳洞の洞口(左)と発見から91年を経て新種であることが分かったアカツカメクラヨコエビ(右)。

ないが、地下水環境に生息する動物のほとんどが数ミリメートルと微小である中で、メクラヨコエビ類は異例の大きさなのである。メクラヨコエビ類は光の届かない暗黒の世界に生息するため色素も失われ、体は半透明の美しい乳白色をしている。

さて、ときはさかのぼって一九二七年(昭和二年)、京都帝国大学(現京都大学)の上野益三博士は秋芳洞から「シコクメクラヨコエビ」を初めて発見した。シコクメクラヨコエビは四国を中心に分布するメクラヨコエビ類の一種である。上野博士の発見以降、秋芳洞のメクラヨコエビは「シコクメクラヨコエビ」であると誰もが信じて疑わなかった。しかし、じつは秋芳洞のメクラヨコエビはシコクメクラヨコエビではなかった。新種だったのだ(図Ⅰ-11)。

著者らの研究グループは、数年前から秋芳洞を中心に各地の洞窟を巡り、メクラヨコエビの調査を続けてきた。そして二〇一八年、秋芳洞に分布するのはシコクメクラヨコエビとは異なる新種であることを明らかにし、学術雑誌に公表した。秋芳洞でメクラヨコエビが最初にみつかってから、じつに九一年の年月が流れていたことになる。

新種の名前は、「シコクメクラヨコエビ」の名づけ親でメクラヨコエビ類の研究に大きく貢献された京都帝国大学の赤塚孝三博士にちなみ、アカツカメクラヨコエビ(学名は *Pseudocrangonyx akatsukai*)と命名した。秋芳洞から新種がみつかったことは、秋芳洞のようなよく知られた場所でも、まだまだ新たな発見があることを示した点で、とても意義のあることだといえる。「太陽の下に新しきものなし」とは古くからの格言だが、じつは太陽の光の届かない地下世界に新しい発見があったのである。

図Ⅰ-12　禅師かっぱに抱かれるヨコエビの像。

なお、秋芳洞の入り口付近に変わった銅像がある。ヨコエビを抱いた「かっぱ」の像である(図Ⅰ-12)。著者は、これ以外にヨコエビをモチーフにした銅像を知らない。さて、これは禅師かっぱとよばれ、正平九年(一三五四年)に大干ばつがこの地方を襲ったときに、地元のお寺の住職の寿円禅師とともに秋芳洞で雨乞いの祈祷を行なったと伝えられている。なぜかっぱがヨコエビを抱いているのか、残念ながら伝承では伝えられていないようだが、ヨコエビ類は秋芳洞では親しまれている動物なのかもしれない。このヨコエビがアカツカメクラヨコエビであることは間違いないだろう。

図Ⅰ-13　(左)広島大学生物生産学部附属練習船「豊潮丸」。(右)海底に生息する生物の採集に威力を発揮するビームトロール。

令和にちなんだヨコエビの新種

元号が平成から令和に変わる直前の二〇一八年五月一八日、著者は晴天の東シナ海上にいた。広島大学の海洋調査船(正式名称は広島大学生物生産学部附属練習船「豊潮丸」)を利用した南西諸島における海洋生物調査に参加したのだ(図Ⅰ-13左)。この調査航海には、エビやカニから貝類、クラゲ、魚類までさまざまな海洋生物の研究者が参加していた。彼らと寝食をともにしながら調査を続けていくこの調査航海は、まるで学生時代の部活の合宿のような懐かしさと充実感を感じさせてくれるものであった。

さて、この日の調査の目的はビームトロール(図Ⅰ-13右)という底引き網を使って、水深およそ四〇〇メートルの海底に生息する深海生物を採集することである。まず船上からビームトロールを水中に沈め、目的の水深に到達したら網を引いて生物を採集する。ビームトロールが海面に吸い込まれている様子をみていると、木の葉のように小さく浮かぶ船の直下に広がる四〇〇メートルもの水深を思ってめまいにも似た感覚を覚える。やがて遠くにかすむ奄美大島の島影をバックにビームトロールが巻き上げられる。

船上に引き上げられたビームトロールで採集された生物は大きなトロ箱に移され、それぞれ専門とする研究者の手にわたる。驚くほど大きな口と鋭い歯をもつ魚、燃えるように真っ赤な体色のエビ、ゼリーのように柔らかくて内臓まで透けてみえる半透明なナマコなどの奇妙な深海生物を横目にみながら、ヨコエビを探す。ヨコエビ探しは時間との闘いである。なぜならヨコエビは体が華奢で壊れやすいため、生物と一緒に網に入った大きな石や土砂、ほかの大型の生物などと一緒にもみくちゃにされると脚が次々と外れてしまい、完全な形での採集が難しくなるのである。

このようにして採集されたヨコエビを船内に設置された顕微鏡で観察していたところ、一種の美しいヨコエビが目にとまった(図１-２C)。リュウグウヨコエビの仲間である。この仲間は世界中の海洋に広く分布し、種多様性も高いグループである。種をはっきりさせるためには詳細な観察が必要であるため、研究の続きは下船後の研究室での作業にもちこされた。

調査航海を終え、大学の研究室に戻ると早速、リュウグウヨコエビの分類学的研究に着手した。まずは顕微鏡を使って詳細な形態的特徴を観察し記録をとる。形態情報の記録をとる方法として優れているのがスケッチである。記録をとるなら写真でもよいのではないかとお考えになるかもしれない。もちろん写真は優れた記録方法である。しかし、スケッチには、必要な情報だけを抜き出して示すことができる、表面と裏面の構造を同時に一枚の紙の上に表現できる、などといった利点がある。そして最大のメリットは、自分の手で描くことで観察対象の形態的特徴を覚えることができることである。

さて、じっくりと形態を観察し、これまでに記載されているリュウグウヨコエビの仲間全ての種との比較を行った結果、今回東シナ海から採集された種はこれまでに名前の付けられていない種、すなわち未記載種であることが分かった。そこで新種記載論文をまとめ、新しい名前を付けて公表した。ここまでの研究におよそ一年かかったため、西暦は調査を行なった二〇一八年から二〇一九年に替わっており、元号も平成から令和に改められた。そこで、この新種は令和にちなんでレイワリュウグウヨコエビ（学名は *Rhachotropis reiwa*）と命名したのである（Okazaki et al. 2020）。

2. ヨコエビはなぜ「横」になるのか

ヨコエビの最も大きな特徴は、多くの種類が体を横にして素早く動き回ることである。ヨコエビという名はこれに由来する。ふつうに考えると、横になって動き回るというのはかなり無理がある行動のように思われる。しかし、ヨコエビの仲間はこの生き方によって、あらゆる環境で繁栄しているのだ。

それでは、なぜヨコエビは横になるのだろうか。また、どのようにして横になったまま素早く移動することができるのだろうか。ここでは、その秘密について探っていこう。

ヨコエビの天敵

ヨコエビの多くの種は、体長一センチメートル以下と小型である。このサイズの動物は、常に大型の動物に捕食される危険にさらされている。

ヨコエビの場合、水中における一番の天敵は魚類である。海ではタイやカレイ、タラなど(Sudo et al. 1987; Werner et al. 2002)、河川や湖沼ではサケやマス、トゲウオなどの魚類が好んでヨコエビを捕食する(MacNeil et al. 1997; 櫻井 二〇〇四)。イモリやサンショウウオなどの両生類は、特に幼生がヨコエビを餌とするし、ヤゴなどの肉食の水生昆虫などもヨコエビにとっては恐ろしい捕食者である(Lewis and Loch-Mally 2010)。さらに南極の海ではヒメウミスズメ、ハシブトウミガラス、ハジロウミバトなどの海鳥やワモンアザラシなどの海獣までもがヨコエビを食べることが知られている(Werner et al. 2002)。

こうしてみると、ヨコエビがじつにさまざまな生物に餌として利用されていることが分かるだろう。

図Ⅰ-14　背腹に扁平な動物たち。(A)オカダンゴムシ。(B)フナムシ。(C)ナミウズムシ(プラナリア)。

左右に平たい体

このように、ヨコエビは常にほかの生物に捕食される危険にさらされている。そのため、ヨコエビは岩の隙間や石の下などに潜り込み、捕食者から身を隠しながら暮らしている。狭い隙間に入り込むためには、体は薄い方が好都合である。

天敵から逃れるために物陰に隠れて生活する小型の動物は、たくさんいる。このような隠蔽的な生活をおくる動物の体をみてみると、ほとんどが体を背中側から押しつぶしたような体型をしていることに気付くだろう(図Ⅰ-14)。例えば、庭の植木鉢の下などからみつかるダンゴムシは背腹方向に扁平な体をしているし、台所の食器棚の隙間から顔をのぞかせるゴキブリも背腹に扁平だ。海岸の岩の隙間にすむフナムシも背腹に平べったい。河川の石の下などに張り付いている扁形動物(プラナリア)は、名実ともに背腹に「扁平な形」である。さらには、肉食動物であるヨシノボリやカジカなどの魚類も背腹に扁平な体つきをしており、より大型の捕食者から逃れるために石の下などに隠れて生活している。このような背腹に扁平な動物は、基本的に腹ばいになって地面や水の底を這いまわる。

いっぽうのヨコエビはこれらの動物とは異なり、左右から押しつぶされたような体型をしている。そしてダンゴムシやフナムシだったら腹ばいになって移動するところを、ヨコエビは左右どちらかの面を下にして横になって這いまわるという奇妙な移動方法をとるのである。

ヨコエビの体のつくり

まずは、ヨコエビの左右に扁平な体がどのようにしてできているのか、みていきたい。ここでは、ヨコエビの体のつくりを理解するためにエビやカニ、ダンゴムシなどほかの甲殻類と比較しながら説明しよう。

はじめに、小学校あるいは中学校の理科の時間に学習した「昆虫の体のつくり」を思い出して欲しい。昆虫の体は、頭部・胸部・腹部の三つの部分からなることを学んだはずである。昆虫と同じように甲殻類の体も頭部・胸部・腹部に分けられる。それでは、いったいヨコエビやエビ、カニの頭や胸はどこにあるのだろうか。カニにいたっては甲羅から脚が生えているようにしかみえないかもしれない。

甲殻類の体はたくさんの節に分かれていると説明したが、じつはエビやカニは頭部と胸部の全

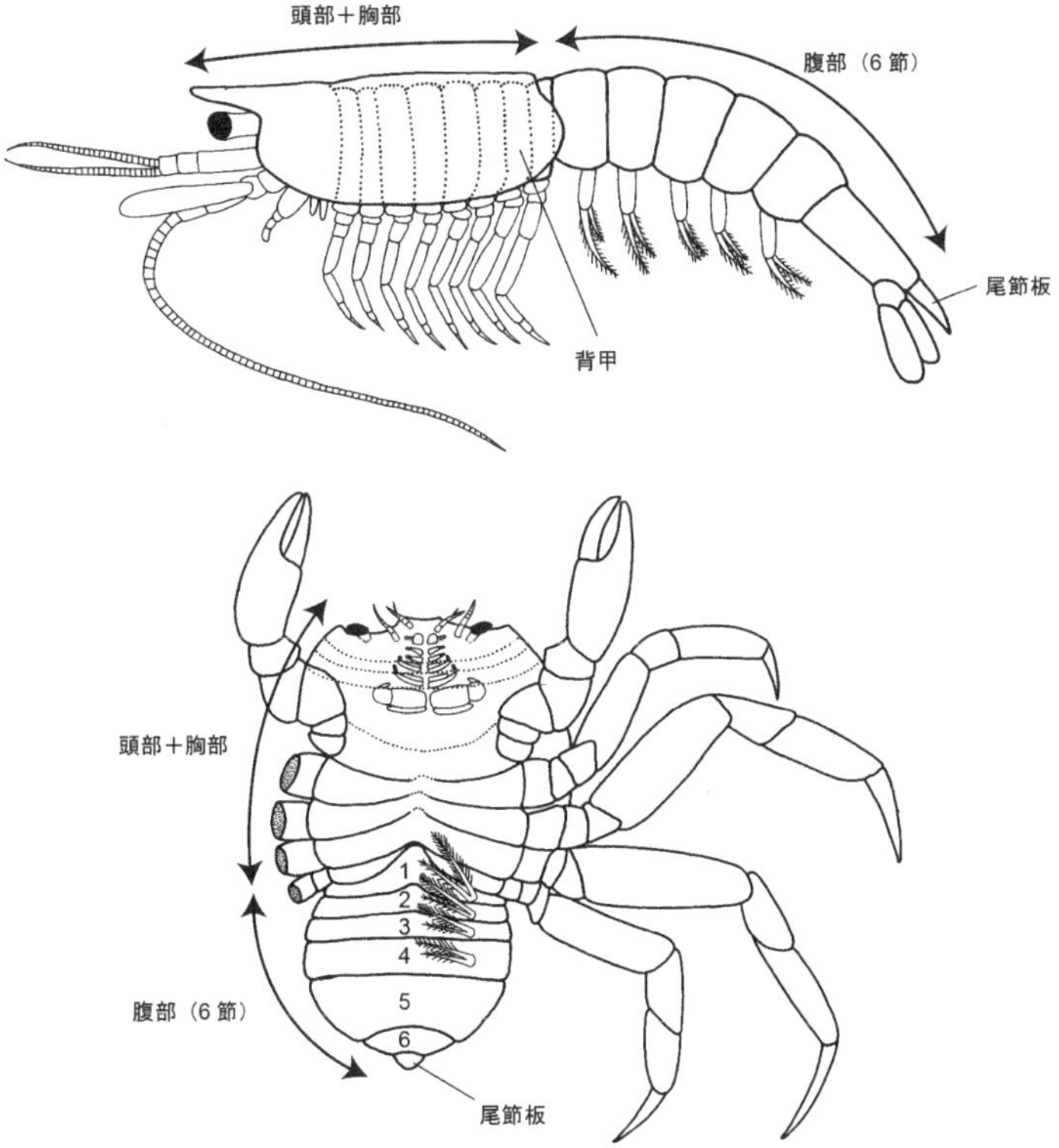

図Ⅰ-15　エビとカニの体のつくり。(上)エビの左側面。(下)カニの腹面。富川・鳥越(2007)を改変。

ての体節がひとつに癒合してしまい、しかもそれが甲羅(背甲とよばれる)に覆われているため、外見からは頭部と胸部の境界を確認することはできないのである(図Ⅰ-15)。エビやカニの頭や胸がどこにあるか分からなくて当然である。いっぽう、彼らの腹部は頭部や胸部から独立しているので、外見から確認することができる。

エビフライで我々が食べているのは、エビの腹部である。エビは腹部の脚を使って遊泳する。また、敵に襲われたときなどは腹部を曲げて水をかくことで急速に後方に移動して退避するが、これは腹部が複数の体節に分かれていて、体節と体節の間で自由に曲げ伸ばしができるからこそ可能な運動である。このように、エビは主として移動のために腹部をよく使うので腹部の筋肉は発達しており、そのためプリプリとしていて美味しい。

カニの場合はどうだろうか。カニは一見すると腹部を欠くようにみえる。カニはふつう、背側を上にしているため腹側をみる機会は少ないが、カニをひっくり返して腹面をよくみてみると、ちゃんと甲羅の腹側に折りたたまれた腹部が存在する。カニの「ふんどし」や「まえかけ」、「はかま」などとよばれている部分がそれである。カニは進化の過程で水中を遊泳することをやめ、岩の隙間などに隠れて生活するようになったと考えられている。このような隠蔽生活では大きな腹部は邪魔になるため、腹部を退化させ、体を薄くコンパクトにしたのだろう。カニは基本的に歩いて移動する。また敵に襲われたときは、脚を変形させたハサミを武器にして対抗する。そのため、カニは立派な脚をもつ。そして、脚にはよく発達した筋肉が詰まっている。だから、私たちはカニの脚を食べるのである。なお、食用ガニとしてよく知られるワタリガニ(ガザミ)は一対の歩脚がオールのように平たく変形しており、敵に襲われたときなどはこの脚を使って泳ぐことができる。進化

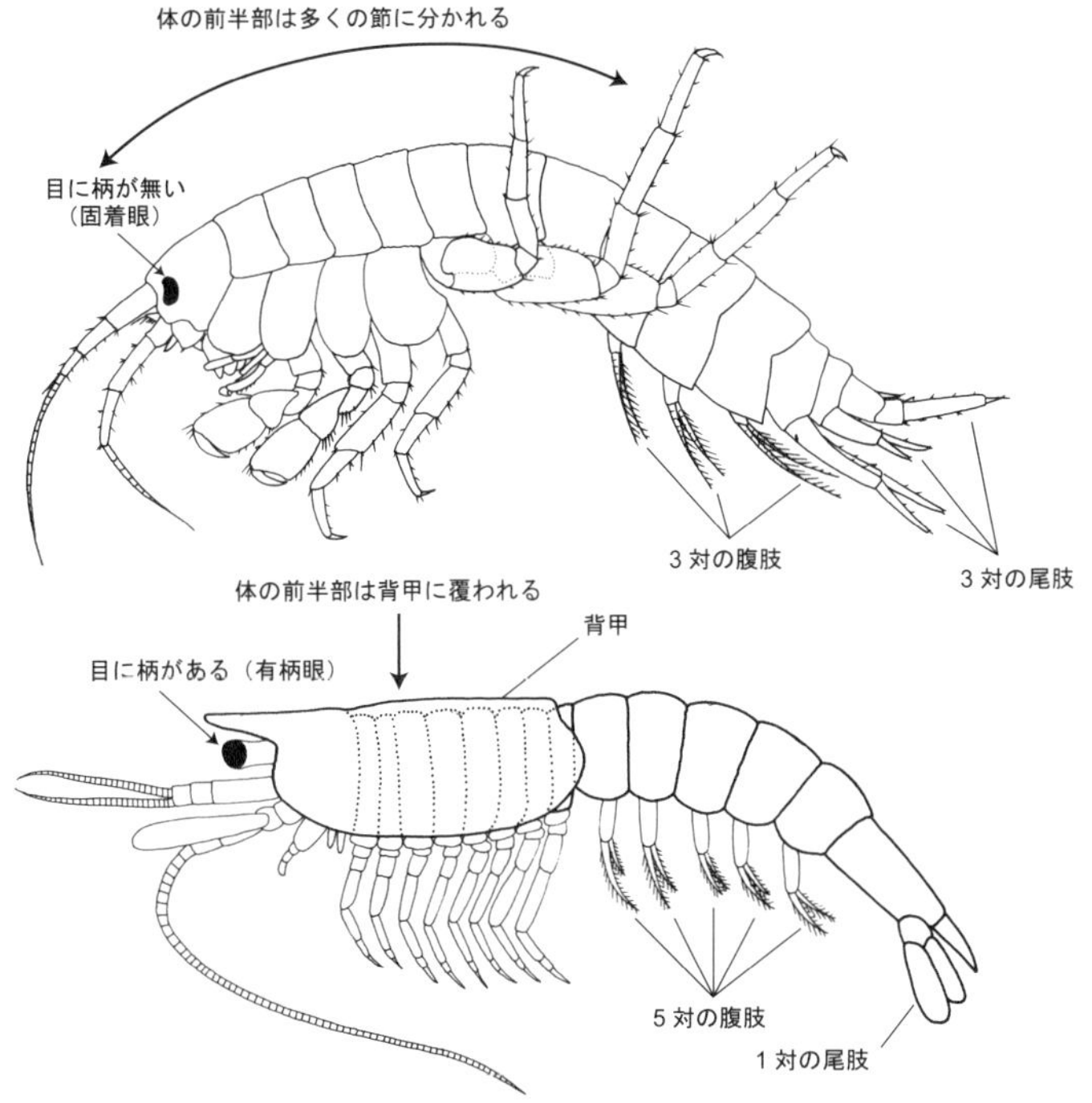

図I-16　(上)ヨコエビと(下)エビの体のつくりの違い。

の過程で、遊泳に使われる腹部の脚を退化させてしまったカニが再び泳ぐための機能を獲得するには、残された胸部の脚を遊泳脚に変形させて使うしかなかったのだろう。

それではカニの腹部が何の役にも立っていないかというと、そうではない。カニの雄は腹部の脚を変形させてつくり上げた交尾器をもつ。交尾時には雄は雌を抱きかかえ、交尾器を使って雌に精子を受け渡す。

いっぽう、雌の場合、腹部の

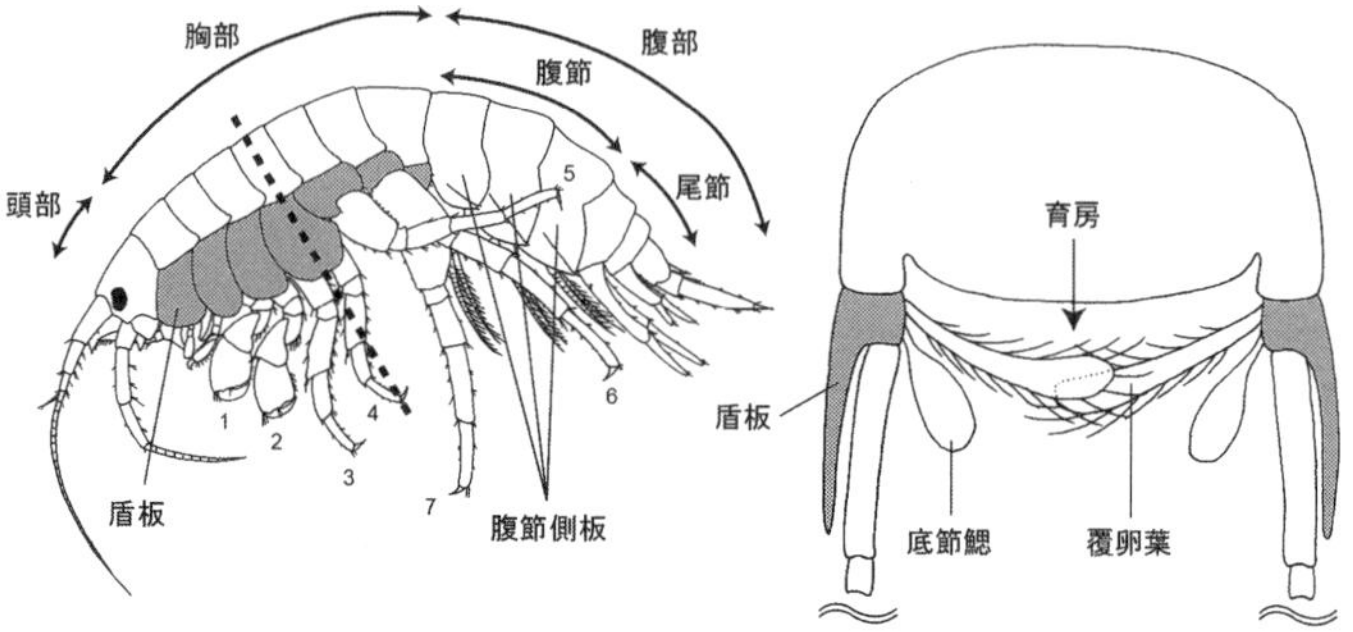

図I-17　ヨコエビの体のつくり。（左）ヨコエビの左側面図（図中の数字は7対の胸部の脚＝胸肢 の番号を示す）。（右）ヨコエビの断面（左図の点線部分）。

脚で卵を抱えて、卵がふ化するまで保護する。カニが完全には腹部や腹部の脚を退化させなかったのは、これが繁殖行動のために利用されているからである。

ここでヨコエビの体のつくりをみてみよう。ヨコエビがエビやカニと大きく異なるのは、頭部と胸部の体節を癒合させることなく体節構造を維持していることである（図I-16）。つまり、ヨコエビは胸部や腹部がたくさんの節に分かれているのである。この多数の節に分かれた体だからこそ、かたい外骨格をもちながらも体を曲げるなどの柔軟な身のこなしができ、狭い隙間でも体をくねらせながら器用に通り抜けられるのである。

ここで一度、ヨコエビの体節構造をまとめよう。体は頭部・胸部・腹部からなるが、腹部はさらに腹節と尾節の二つに分かれており、それぞれに異なる形状の脚（腹肢と尾肢）をもつ（図I-16・17）。ダンゴムシの体のつくり（体節構造）もヨコエビとよく似ている（図I-18）。ダンゴムシは驚く

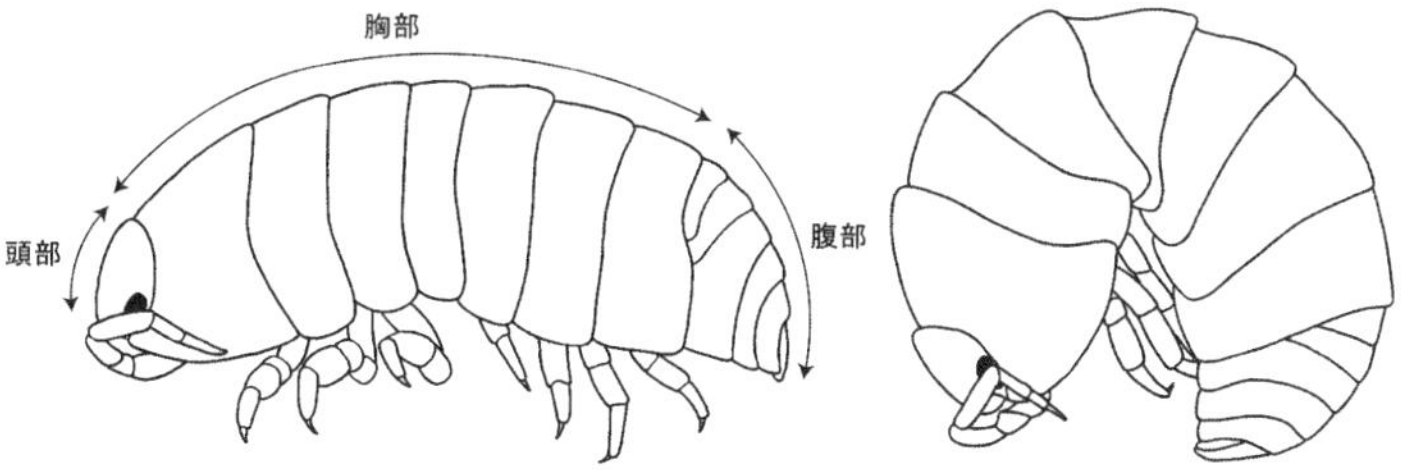

図 I - 18　ダンゴムシの体のつくり。(左)ダンゴムシの左側面。(右)丸まりかけているダンゴムシ(左側面)。体節の間で体を少しずつ曲げることで、体を丸くしていることが分かる。

と体を丸める習性があるが、ダンゴムシが団子状態になれるのはこの体のつくりのおかげである。すなわち、体節と体節の間で体を少しずつ曲げることで、体を丸くすることができるのである。エビやカニのように頭部と胸部をすっぽりとかたい甲羅で覆ってしまっていたら、このような柔軟な動きをすることは難しいだろう。このように体節構造はよく似ているヨコエビとダンゴムシであるが、左右に扁平なヨコエビと背腹に扁平なダンゴムシとでは体型が大きく異なる。次に両者の体型の違いを詳しくみてみよう。

ヨコエビの体には胸部の側面に盾のような構造(盾板)がある(図Ⅰ-17)。この盾板は、胸部に付いている「胸肢」とよばれる七対の脚の基部が平たく広がることで形成されている。さらに腹部に目を移すと、やはり側面がコートの裾のように下方向に広がっていることが分かるだろう(この部分を腹節側板とよぶ)。いっぽうダンゴムシでは、盾板や腹節側板の発達はみられない(図Ⅰ-18)。ヨコエビは盾板や腹節側板がよく発達するため、体の幅に対して体高が著しく高くなり、左右に扁平な体型になっているのである。ヨコエビにみられる盾板や腹節側板の発達は、結果として体の腹面に盾板に囲まれた広い空間を生み出すことになった。この空間は水の通り道としてヨコエビの生活に必要不可欠なものになっている(Dahl 1977)。

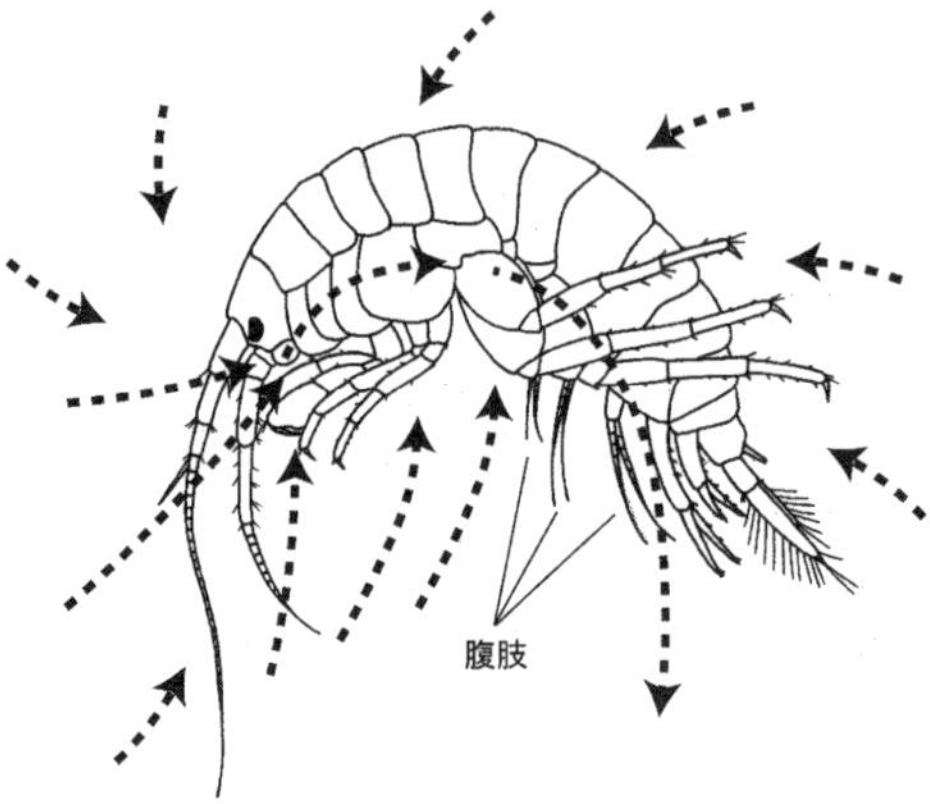

図I-19　ヨコエビのまわりに生じる水の流れ。主に腹肢の運動によって生じた水流は体の前方から口の下を通り、後方に向かって盾板に囲まれた空間を流れていく様子が分かる。Dahl (1977)を参考に作図。

ヨコエビは、腹部の腹節に三対の「腹肢」、尾節に三対の「尾肢」とよばれる、機能と形態の異なる二種類の脚をもつ(図I-16)。ヨコエビは、このうち前方にある腹肢を使って遊泳する。しかしヨコエビをよく観察してみると、じっとしているときにも腹肢をせわしなく動かし続けていることに気付く。じつは腹肢には遊泳だけでなく、体のまわりに水流を起こす役割もあるのである。腹肢は多数の節に分かれており、ムチのようにしなやかに動かすことができる。さらに腹肢には細かい毛がたくさん生えている。

そして面白いことに、左右の腹肢はフック状の棘で互いに連結されているため、右と左の腹肢を連動させて前後に動かすことができる。このような仕組みにより効率的に水をかくことができるのである。

それでは、腹肢の運動によりヨコエビの体のまわりにはどのような水の流れが生じるのだろうか。水流は体の前方から口の下を通り、後方に向かって盾板に囲まれた空間を流れていく（図I-19）。

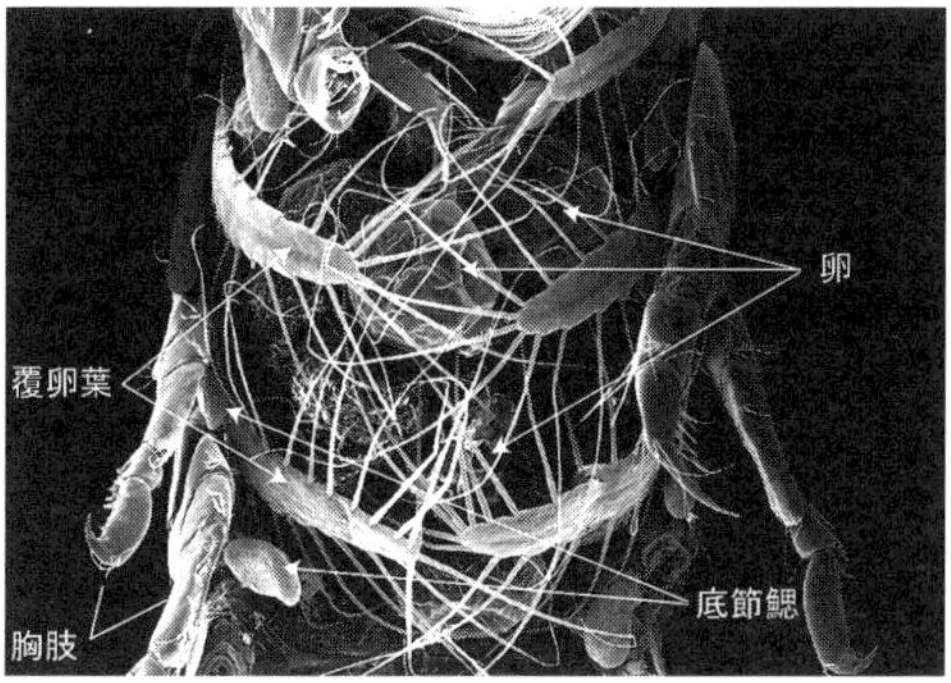

図I-20　卵を覆卵葉で抱く雌を腹面からみたところ（走査型電子顕微鏡写真）。

このとき、多くのヨコエビは口のまわりの脚に生えている多数の剛毛をザルのように使って、餌となる有機物を集めて食べることができる。盾板に囲まれた空間には、常に酸素が豊富な新鮮な水が供給される。ヨコエビはこの盾板に囲まれた空間に底節鰓を広げ、水中の酸素を取り込むとともに体内の二酸化炭素を排出するガス交換を行う。ヨコエビの雌は卵をふ化するまで抱きかかえて保護するが、卵もこの空間におさめられる（卵は胸部にある「覆卵葉」とよばれる薄い葉状の構造物により抱きかかえられる）（図I-17・20）。新鮮な水が常に供給されるこのスペースは、卵を抱くのに絶好の場所である。つまりこの空間はヨコエビにとって、餌を集め、呼吸を行い、そして育児をするための重要なスペースなのである。ダンゴムシ類には体の腹側に大きなスペースはない。呼吸はよく発達した腹肢で行い、卵の保護は育房、もしくは腹板が変形してできた複雑な構造が担っている。

次に、ヨコエビが体を横たえたままで素早く移動できる秘密を探りたい。この秘密を解くカギは、ヨコエビがもつ特殊な脚のつくりにある。

ヨコエビの横歩き

はじめに、ヨコエビとダンゴムシで脚の付き方を比べてみよう。両者を正面から見比べてみると、ダンゴムシは脚が体の左右に広がるように付いているのに対し、ヨコエビでは「気をつけ」の姿勢のように脚が体の真下に伸びているのが分かる。体が左右に扁平なヨコエビにとっては、脚を左右に広げるよりも、まっすぐ下に伸ばしている方が自然なのであろう。この脚が真下に伸びるという特徴がヨコエビの横歩きに大きくかかわっているのである。

ここでヨコエビの胸肢について整理したい(図1-21)。胸部に付いている七対の胸肢のうち、前から二対はものをつかむのに適した鎌のような形に変形しており、これは特に「咬脚」とよばれる。前から一つ目の咬脚を「第一咬脚」、二つ目を「第二咬脚」という。歩行は主に残りの五対の胸肢で行われ、これらは前方から「第三胸肢」~「第七胸肢」とよばれる。

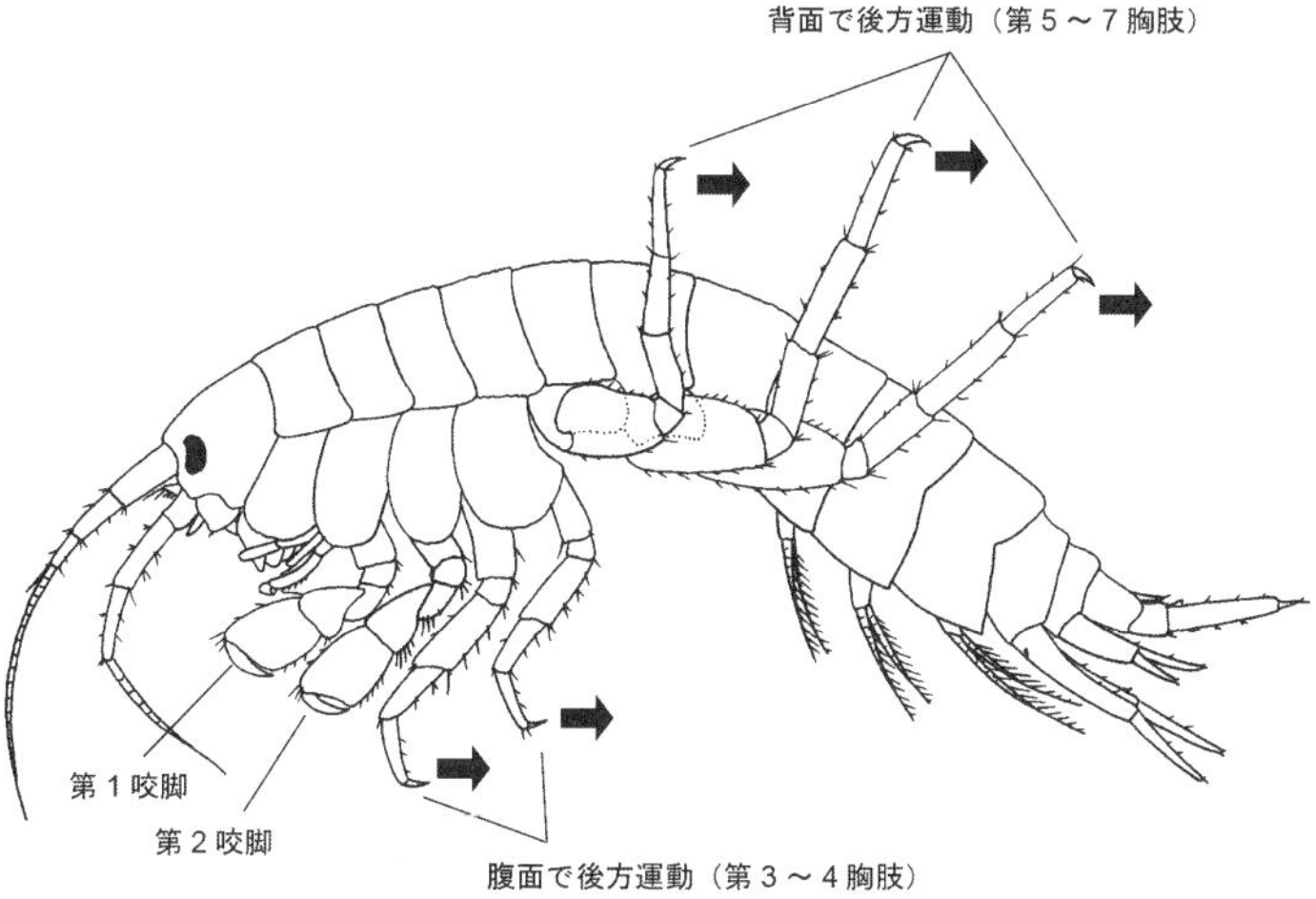

図Ⅰ-21　ヨコエビの特殊な脚。第1、2咬脚は鎌形でものをつかんだりする。歩行は主に第3～7胸肢で行われる。

ヨコエビの脚には、さらに奇妙な特徴がみられる。ヨコエビは胸部に付いている七対の脚のうち、前方の四対と後方の三対で向きが異なる。すなわち、前方の四対（第一咬脚～第四胸肢）は脚の爪が後方を向いているのに対し、後方の三対（第五胸肢～第七胸肢）は爪が前方を向いているのである。

さて、このままの状態で脚を前後に動かすと、前方の脚は前進運動を、後方の脚は後退運動を引き起こすことになる。ところが後方の脚、つまり第五胸肢～第七胸肢の基部には特別な関節構造があり、これにより脚全体を一八〇度回転させることができるのである。こうすると第五胸肢～第七胸肢は背側に跳ね上げられた状態になる。体を横たえた状態では、前方の第三胸肢～第四

図Ⅰ-22　水中にすむダンゴムシの仲間。(左)ミズムシ。日本各地の池や川でふつうにみられる。(右)コツブムシ。潮間帯や河川などにたくさんの種類がいる。写真は、熊本県の湧水に生息するサイゴクコツブムシ。

胸肢は腹側の地面を、後方の第五胸肢〜第七胸肢は背中側の地面を蹴ることができ、どちらの脚も体を前方に押し進めることになる。ちょうど背腹に扁平な動物だったら体の左右に脚が広がるように、ヨコエビが横になった状態では、腹側と背側に位置する胸肢は進行方向に向かって左右に広がる形になり、バランスよく歩行できるのである。

開放的な場所では、この「横歩き」に使われるのは地面に接している、体の左側か右側のどちらか片側の脚だけである。しかし落葉や石の下のような狭い空間では、左右両方の脚を使って地面と天井の両方を蹴ることができるため、より効率的に移動することができるだろう。このようにヨコエビは特殊な「逆向きの脚」を手に入れたため、横になったまま歩くことができるようになったのである。この「逆向きの脚」はよくできているらしく、水底をかなり素早く移動することができる。水の底をのぞいてみると、背腹に扁平なダンゴムシの仲間であるミズムシやコツブムシ(図Ⅰ-22)がゆっくりと這いまわっているのを尻目に、ヨコエビが横になったまま颯爽と駆け抜けていく姿をみることができる。

なお、ヨコエビは横歩きしかできないわけではなく、縦になって歩くこともある。しかし、ヨコエビは縦歩きがあまり得意ではない。なぜならば、ヨコエビが縦になって歩くとき、歩行に使える脚は極端に少ないからである。ヨコエビの胸部にある七対の脚のうち、前方の二対(第一咬脚と第二咬脚)はものをつかむために特化しており、歩行には使えない。後方の三対(第五胸肢~第七胸肢)は後ろ向きに付いているので、これも縦歩きには使えない。結局、ヨコエビは縦になって歩こうとすると残った二対の脚、つまり第三胸肢と第四胸肢だけで体を支えながらトボトボと歩くしかないのである。

横にならないヨコエビたち

ヨコエビの中には盾板が小さく、それゆえ左右に扁平ではなく、円筒形に近い体型の種もみられる。干潟や泥質の海底などにみられるドロクダムシの仲間(図II-3を参照)や海藻にすむカマキリヨコエビの仲間(図II-24を参照)などがそうである。彼らは横にはならず、腹面を下にしたまま移動する。

盾板に囲まれたスペースは、水の通り道としてヨコエビにとって重要であることを述べた。盾板が発達しないドロクダムシ類やカマキリヨコエビ類は多くの種が管状の巣をつくり、その中で生活している。この場合、巣が水の通り道として機能しているのである。

ヨコエビの脚は関節部分で少しずつひねることで、脚の角度を変えることができる。そのため、狭い隙間では体が縦になっていても横になっていても、どんな体勢でも床、天井、壁をしっかりとつかんで自由に移動することができる。さらには、狭い空間で体を曲げて一回転することもできる。そのため、狭い巣の中でも自由に動き回れるのである。

ヨコエビの腰が曲がっているわけ

エビといえば、腰が曲がっているものだと思っている人がほとんどではないだろうか。腰が曲がっている姿が老人に似ていることから、エビは長寿の象徴として縁起物とされているらしい。「海老」という漢字があてられることがあるのも、そのためだという。しかし、エビはふだんから腰が曲がっているわけではない。いつもは腰を伸ばしてしゃんとしているのである。

エビが腰を曲げるのは、彼らにとって非常事態のときである（図1-23）。天敵に襲われたりして驚いたエビは、腹部末端の脚（尾肢という）を扇のように広げ、腹部を勢いよく腹側に曲げることで、尾肢で水をかいて後方に素早く泳ぎ去るのである。このとき、腹部にあるよく発達した筋肉が活躍する。エビの腹部の筋肉には、腹部を曲げるための屈筋と伸ばすための伸筋がある。そして、屈筋は腹側、伸筋は背側に位置している。腹部を曲げる力の原動力は、この強力な屈筋にある。腹部

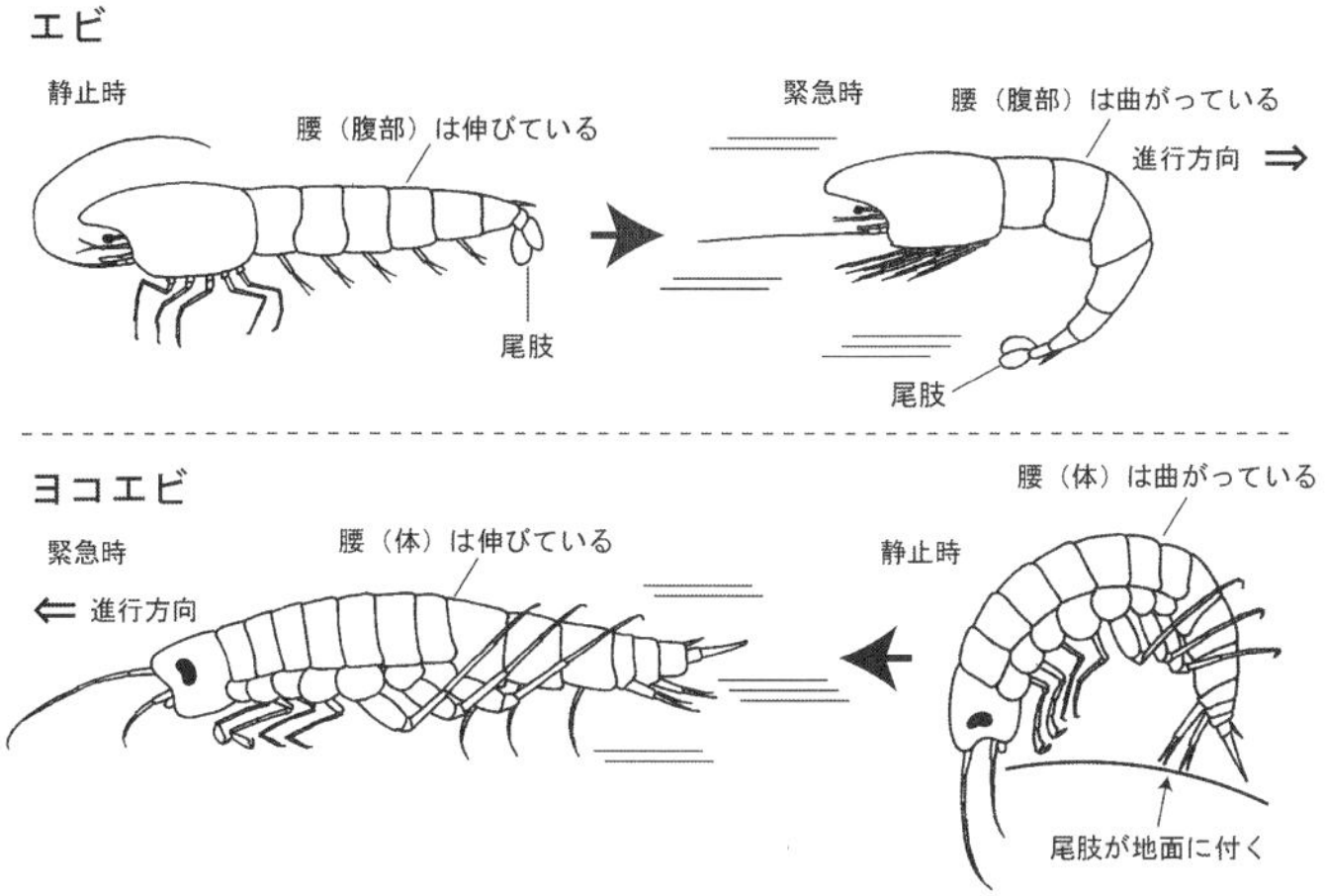

図Ⅰ-23　エビとヨコエビの退避行動。エビは驚くと腰(腹部)を曲げ、尾肢で水をかいて、後方へ素早く移動する。ヨコエビは腰(体)を伸ばし、尾肢で地面を蹴ることで、前方への素早い移動の推進力を得る。

を腹側へ屈曲させる力は背側に伸長させる力よりも強力であるため、エビを茹でたりすると、腹側にある屈筋がギュッと収縮し、腹部全体が腹側に丸まってしまう。料理(加熱)されたエビの腰が曲がっているのには、このような理由がある。

じつは、ふだん腰が曲がっているのはエビではなく、ヨコエビの方なのである。ヨコエビはリラックスした状態のときは腹部を丸めて、いわゆる腰を曲げた状態でいる。この体勢にはどのような意味があるのだろうか。

ヨコエビが縦になって水底に立っている姿をみてもらいたい(図Ⅰ-23)。ヨコエビは腰が曲がっているため、本来ならば体の後方に向かって水平に伸びているはずの尾肢

(体の一番後ろに位置する三対の脚)が水底に接しており、まるで杖を突いているような格好になっているのである。この状態で、それまで曲がっていた腹部をピッとまっすぐに伸ばせば、尾肢で地面を蹴って前方へ飛び出すことができる。ヨコエビは敵が近づいたりすると、このようにして退避行動をとるのである。多くのヨコエビは尾肢の末端に頑丈な棘がいくつも生えていて、地面にひっかかりやすくなっている。ヨコエビは腹部の背側にある伸筋が非常に発達しているため、腹部を曲げた状態からまっすぐに勢いよく伸ばすことができるのである。

水中で天敵から逃れるために身につけた強力な腹筋は、ヨコエビの陸上生活においても役に立っている。それは陸上でのジャンプである。

ヨコエビのジャンプ

砂浜に打ち上げられた海藻などをもち上げると、ノミのような動物が飛び跳ねているのをみたことはないだろうか。これらはハマトビムシというヨコエビの仲間である(図1-24)。

ハマトビムシ類はヨコエビの仲間で唯一、陸上環境に適応したグループである。ハマトビムシといってもじつは砂浜だけではなく、海岸近くの林や、海からかなり離れた内陸の森林の落葉の下までさまざまな陸上環境に生息する。中には標高二〇〇〇メートルをこえる高山帯に生息する種類もいる(Hou and Zhao 2017)。

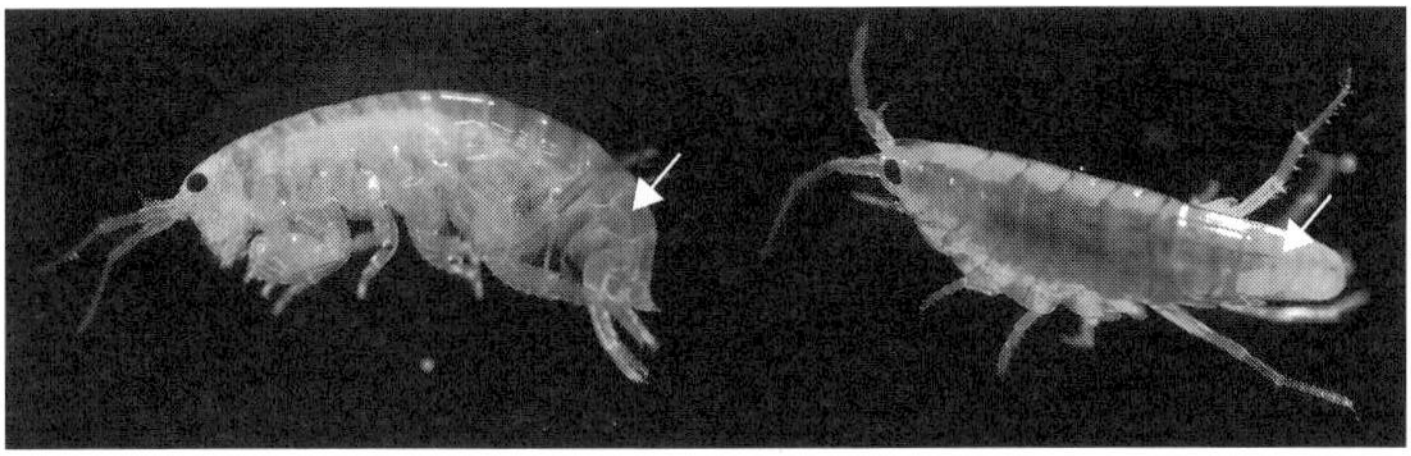

図Ⅰ-24　ミナミオカトビムシ。(左)左側面。(右)背面。本種は陸生のヨコエビで、本州以南の海岸林に生息する。この仲間はハマトビムシ類とよばれ、地面を活発に飛び跳ねる。跳躍に腹部の筋肉(矢印)を使う動物は珍しく、甲殻類の中でもハマトビムシ類だけにみられる特徴である。

ハマトビムシ類の特技はジャンプである。水中生活から陸上生活にシフトしたハマトビムシ類は、このジャンプという特技のおかげで陸上でも捕食者から逃れて生き延びることができているのだろう。

さて、ジャンプする動物といえばバッタやノミである。彼らは後ろ脚で地面を蹴って跳躍する。つまり、ジャンプにはよく発達した脚の筋肉が使われる。ところがハマトビムシ類は腹筋を使ってジャンプするのである。これは節足動物の中でもハマトビムシ類のみにみられる独特なジャンプ方法である。ではハマトビムシ類は腹筋を使って、どのようにジャンプするのだろうか。

ヨコエビ類全般にいえることだが、ハマトビムシ類も腹部が丸まった、いわゆる「腰の曲がった」格好をしている。ジャンプするときにはこの曲がった腹部をまっすぐに伸ばし、尾肢で地面を蹴って空中に飛び出す(Hurley 1968)。腰の曲がったハマトビムシが、エビぞりになった反動で空中に飛び上がるようなイメージである(図1-23参照)。

ハマトビムシ類のジャンプのメカニズムは精巧で、ジャンプのスピードもバッタやノミに見劣りしないことが知られている(Amano and Sudo 2013)。ところが、飛び上がった後のことについてはあまり深く考えられていないらしく、毎回まちまちの態勢で着地する。それでも、たくさんの脚が着地時のクッションになるため、落下時の衝撃は問題にならないようだ。

興味深いことに、内陸の森林に生息する種は砂浜にすむ種よりものんびりとしており、あまり跳躍もしない。おそらく身を隠す場所がほとんどない砂浜と違い、落葉や倒木など隠れる場所の多い森林ではそれほど必死になって飛び跳ねなくても天敵から逃れることができるのだろう。

「節足動物の親戚は？」

節足動物は、その名の通り「節」、すなわち関節のある脚をもつこと、および体節をもつことで特徴づけられる。節足動物のほかに体節をもつ動物の仲間は、ミミズやゴカイなどの環形動物である（図Ⅰ-25）。そのため、節足動物は長い間、環形動物と系統的に近縁であると考えられていた。系統とは、進化の結果どのような親戚関係が生じたのか、ということである。

しかし最近の遺伝子解析により、節足動物と環形動物は遠縁であり、節足動物はヒトの寄生虫としても知られるカイチュウやギョウチュウなどの線形動物（図Ⅰ-25）と近縁であることが明らかになってきた。このことから、節足動物と環形動物に共通してみられる「体節をもつ」という特徴は、節足動物と環形動物でそれぞれ独立に進化したと考えられるようになった。このような「他人の空似」が生じる進化の

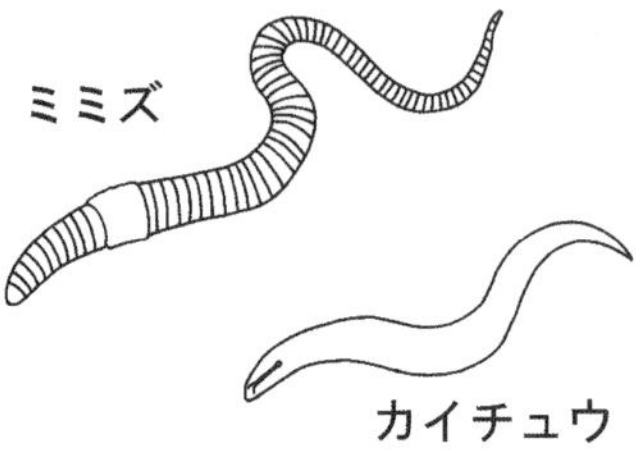

図Ⅰ-25　ミミズ（環形動物）とカイチュウ（線形動物）。

ことを「収れん進化」とよぶ。

節足動物と線形動物はあまり似ているようにはみえないが、じつは近縁な関係にあることが分かったため、両者はまとめて脱皮動物とよばれることになった。脱皮動物という名前は、両者に共通する特徴が「脱皮する」ことに由来する。しかし、ヘビだって脱皮すると思われるかもしれない。じつは、節足動物や線形動物は体表を覆うかたい構造物であるクチクラで作られた外骨格をもち、この外骨格の皮を脱いで成長する。いっぽう、ヘビが脱いでいるのはヒトの垢と同じ表皮の角質であり、外骨格ではない。ヘビの脱皮と脱皮動物の脱皮とは根本的に異なるのである。

「スローな天敵プラナリア」

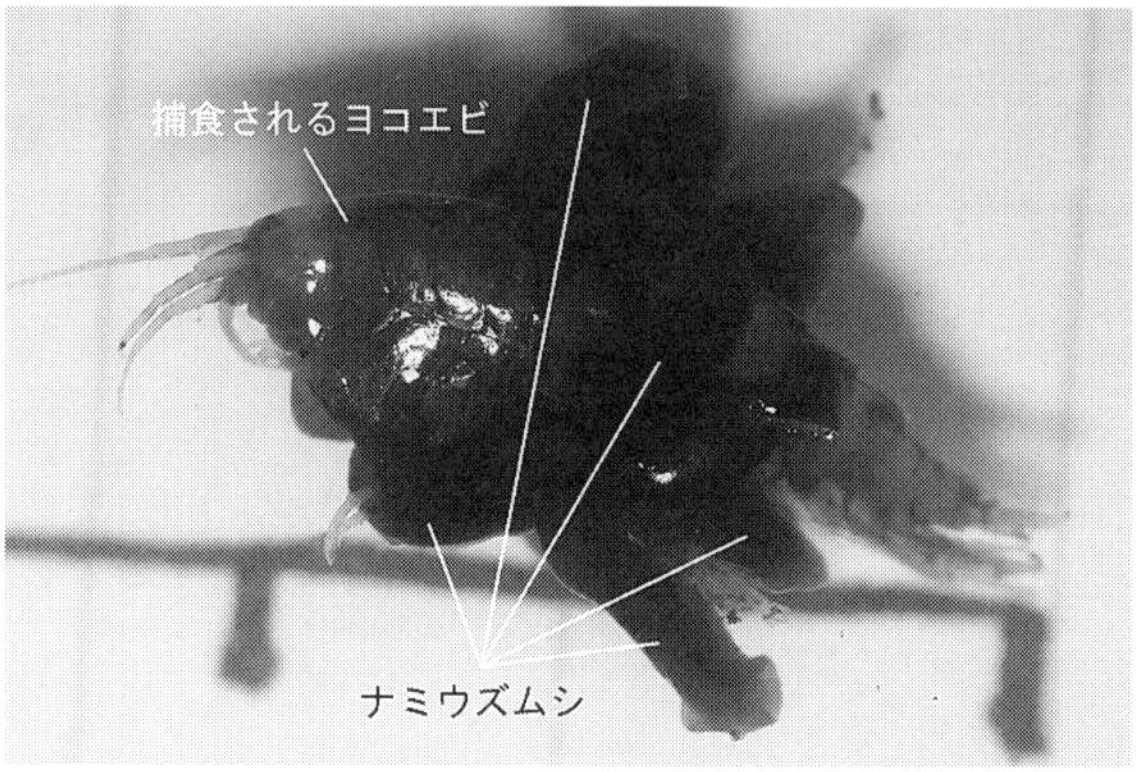

図Ⅰ-26　プラナリア（ナミウズムシ）に捕食されるオオエゾヨコエビ（体長約10 mm）。高桑美奈氏撮影。

魚やサンショウウオならばともかく、プラナリアがヨコエビを捕食する場面を想像できる人は少ないのではないだろうか。

在来のプラナリア（ナミウズムシやミヤマウズムシなど）は淡水性ヨコエビと同様に湧水でよくみられる生き物のひとつである。体長二センチメートルたらずの平たく細長い体型で、体表の微小な繊毛を使って静かに這いまわる。ヨコエビの方がはるかに敏捷なはずだが、プラナリアの滑るような静かな接近は、ヨコエビにとってはかえって察知しにくいのかもしれない。しかも一度プラナリアに巻き付かれてしまうと、いくら逃げようとしても、巻き付かれたまま動くしかない。こうしてプラナリアはヨコエビの胸部腹面に咽頭をのばし、難なく吸い付くことになる（図I-26）。

ナミウズムシによるオオエゾヨコエビの捕食を研究した報告（高桑 二〇一一）によれば、「一個体がヨコエビに絡みつくと、数分で複数のナミウズムシが絡みつき、捕食行動を起こした」とある。魚などの大型捕食者を回避して腐葉や水生植物の間隙に潜む行動は、プラナリアに対してはほとんど役に立たないのではないだろうか。

第２章

ヨコエビの暮らし

ヨコエビは餌の取り方やすむ場所、繁殖の方法などもまたユニークで多様性に富んでいる。ここでは、そのような興味深いヨコエビの暮らしぶりをみていこう。

1. 脚の先からシルクを出す!?

脚の先からシルクを出すヨコエビ

昆虫の幼虫の中には、蛹になる際にタンパク質を主成分とする糸を口から吐き出して繭をつくるものがいる。この繭からとられる動物性繊維はシルク(絹)とよばれ、特にカイコ(カイコガ)がつくり出すシルクは、織物の材料として古くから利用されてきた。カイコはクワコという野生の蛾を家畜化したもので、この繭を湯の中でほぐして絹を取るのである。このような分泌物は昆虫以外にもクモ類や甲殻類で作られることが知られており、広い意味でシルクとよばれる。

ヨコエビでも、シルクをつくる仲間が知られている。ヨコエビがつくり出すシルクは「ヨコエビ・シルク」とよばれ、胸部の二対の脚(第三〜四胸肢)の基部にある分泌腺で作られる。そしてヨコエビ・シルクは、スパイダーマンさながらにヨコエビの脚の先端から糸状もしくは粘液性セメント状の物質として放出される(Neretin 2016)。

前に述べたように昆虫の幼虫は繭をつくるためなどにシルクを使い、クモは巣をつくるためや、危険が迫った際に逃げるときの命綱としてシルクを使う。それではヨコエビのつくるシルクはどのような役に立っているのだろうか。

巣をつくるヨコエビ

ヨコエビの中には巣をつくるものがいる。この巣づくりにヨコエビ・シルクが欠かせないのである。例えば、海藻を折りたたんだ巣をつくる際にはヨコエビ・シルクで海藻を綴り合せる。泥底に穴を掘ってトンネル状の巣をつくるものは、泥で崩れやすい巣穴の内側をヨコエビ・シルクで補強したりする。

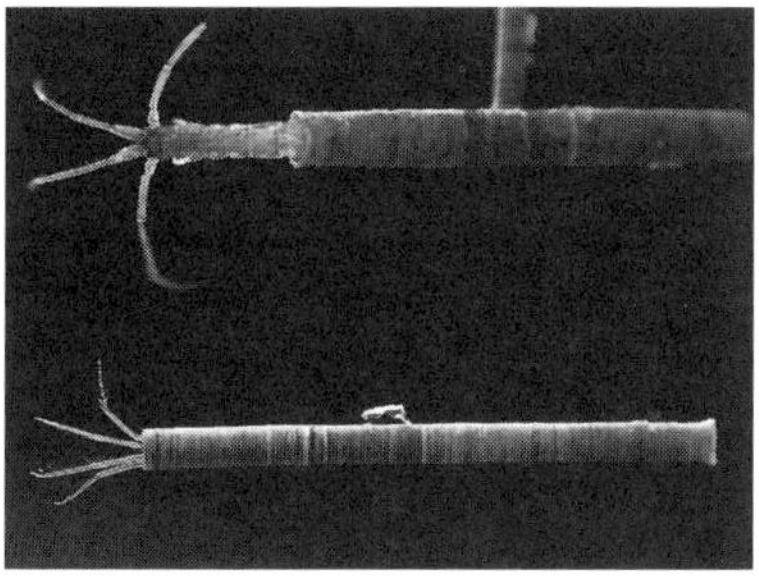

図Ⅱ-1　ホソツツムシ（体長約6 mm）。（上）筒状の巣から上半身を出す。この状態で巣を引きずりながら移動する。（下）体を巣の中に引っ込め、触角だけを出した状態。

変わった巣をつくる仲間にホソツツムシ類がいる（図Ⅱ-1）。ホソツツムシ類は細長い体型をした小型のヨコエビで、発達した触角が特徴的なヨコエビである。彼らは海藻や木片、小石などさまざまな材料をヨコエビ・シルクでかためて、筒状の巣をつくる。中にはもち運び可能な巣をつくるものもいて、そのような種はまるでミノムシのように巣を引きずりながら移動する。さらに巣をしっかりと内側から脚でつかみ、触角をボートのオールのように使って、巣をかかえたまま水中を泳ぐ猛者もいる。

　ほかにも独特な巣をつくるヨコエビがいる。シャクトリドロノミの仲間である。シャクトリドロノミ類は体長約五ミリメートル、三角形もしくは四角形の頭と円筒形の胴体という特徴的な形をしたヨコエビである。シャクトリドロノミ類は泥に自分自身の糞を混ぜ合わせ、これをヨコエビ・シルクでかためた、長さが数センチメートル〜二〇センチメートルの「帆柱」とよばれる柱状の構造物をつくる（図II-2）。彼らはこうして作った帆柱の上で生活しているのである。帆柱は海底に立てられることもあればウニの棘の上に建てられることもある(Neretin et al. 2017)。なぜシャクトリドロノミ類はこのような奇妙な帆柱を立てるのだろうか。

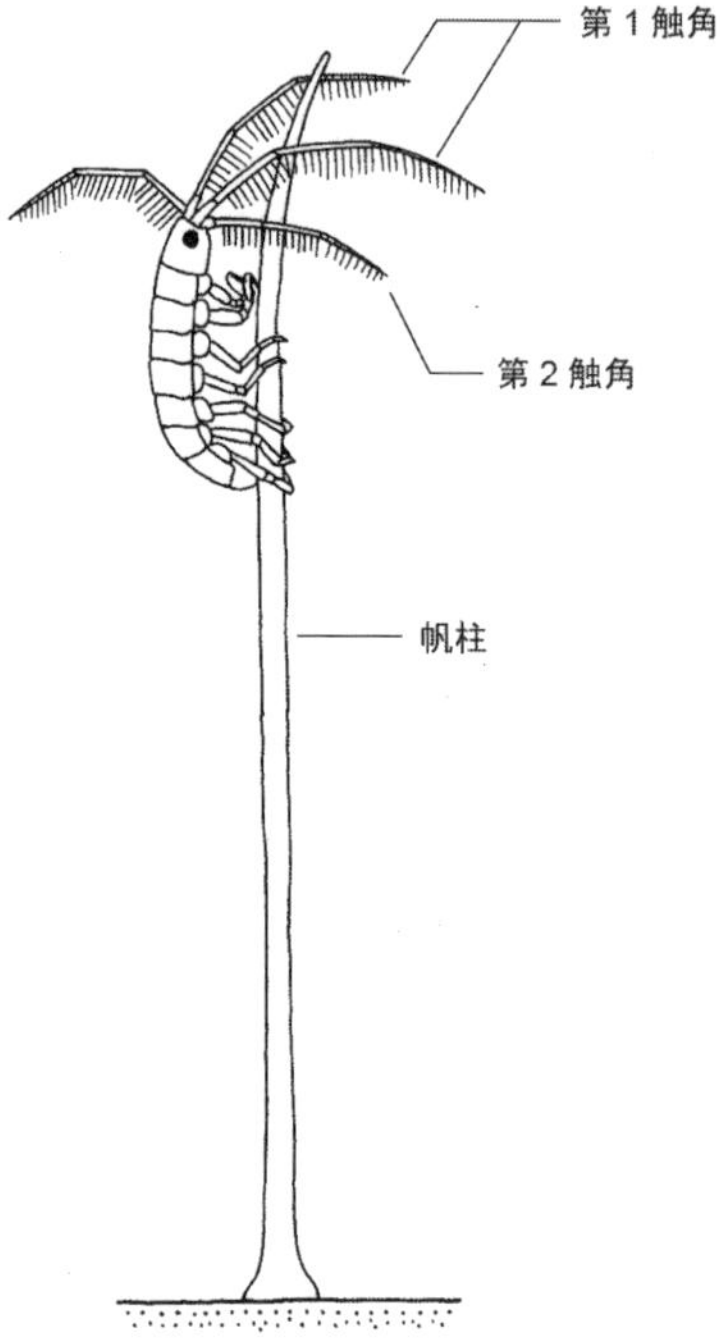

図II-2　帆柱の上のシャクトリドロノミ。Mattson and Cedhagen (1989) を参考に作図。

　シャクトリドロノミの仲間の食性をみてみ

よう。ヨコエビの食性についてはこの後で詳しく述べるが、シャクトリドロノミ類は水中を漂う細かい餌を食べているのである。シャクトリドロノミ類は長い毛が密集した四本の触角(それぞれ一対の第一触角と第二触角)をもち、これを使って水中の餌を集めて食べる。このとき、帆柱の上に登っている方が水底にとどまっているよりも多くの水流を触角に受けることができ、水中の餌を効率的に集めることができるらしい。つまり、帆柱を立てる目的は、よりたくさんの餌を得るためだったのである。シャクトリドロノミの仲間の中には原始的な農業さながらに、帆柱上で増殖した珪藻を餌として利用する種も知られている(McCloskey 1970)。

帆柱を立てる目的は餌を集めるためだけではないようだ。ヨコエビの一種ディオペドス・モンカンツスという種は、未成熟個体、もしくは成熟した雌それぞれ一個体が一つの帆柱を立て、縄張りを主張する。帆柱に住むことで外敵から身を守れるらしい。いっぽう、雄は帆柱を立てることはなく、雌の帆柱に居候する。この居候の雄は自分では帆柱を立てないが、雌が作った帆柱の修繕は手伝うという。この種類は繁殖行動も帆柱の上で行い、ふ化直後の子供はしばらくの間、母親の帆柱の上で母親に守られて生活する(Mattson and Cedhagen 1989)。母親と子供たちが一つの帆柱上に並んでいる姿は微笑ましい。

2. ヨコエビが食べるもの

森の木々は秋になるとたくさんの葉を落とし、落葉が地面に降り積もる。落葉は森を流れる川や湧水などの水の中にもたまる。森にすむ動物たちは生活の中で糞をし、やがて死んで遺骸となる。海の中では、ちぎれたり枯れたりした海藻が海底にたまったり、波により岸辺に打ち上げられる。海にすむ魚などの動物も死ねば同様の道をたどる。それでは地球上が動物や植物の遺骸でいっぱいにならないのはなぜだろうか。それはヨコエビなどの「掃除屋」が動植物の遺骸を食べて分解しているからなのである。

ヨコエビの食性は、一般的に雑食性である。雑食性とは、動物質と植物質の両方の食物を食べることである。生きているものだけではなく、落葉や腐肉といった遺骸も好んで食べる。ヨコエビの特徴として、あらゆる環境において個体数が多いことが挙げられる。例えば、淡水域では一平方メートルあたり一万個体(Smith 2001)、海域ではなんと五〇万個体(Franz 1989)をこえるヨコエビが密集して生息していることが知られている。ヨコエビは個々のサイズは小さいけれども恐ろしく数が多いため、生態系では「掃除屋(生物学の用語では分解者)」として動植物の遺骸の分解・処理に大きな役割を果たしている。ここでは、ヨコエビがどのような餌をどのように食べているのか紹介したい。

有機物の粒子は最も主要な食べもの

水中には植物プランクトンのほか、動物プランクトンの死骸や脱皮殻、糞などさまざまな粒子が漂っている。ヨコエビは、こうした水中の微細な有機物の粒子を主食とする種類が圧倒的に多い(Guerra-García et al. 2013)。

水中では微細な有機物の粒子は懸濁(水中に分散)し、やがてゆっくりと沈殿する。海洋でみられるマリンスノーは海中を漂う有機物の粒子のことで、雪のように白くみえることからこの名がつけられた。ヨコエビは水底に堆積した有機物粒子を、触角や脚でかき集めて食べる(Meadows and Reid 1966)。また、水中を漂う有機物も積極的に集めて食べる。それでは、どのようにして水中の有機物粒子を集めるのだろうか。じつは、有機物粒子を食べるヨコエビの触角や脚にはたくさんの剛毛が生えている。触角や脚の剛毛をザルのように使い、水中の細かい有機物の粒子を引っ掛けて食べるのである(樋渡 一九九八)。水中に浮遊する懸濁粒子を食べることを懸濁物食(濾過食)という。

集水管を使って有機物粒子を集める

懸濁物食性の代表的なヨコエビは、大きな触角と毛深い咬脚が特徴的なドロクダムシの仲間である。漢字で書くと「泥管虫」、干潟や浅海の泥の中に管状の巣(棲管)を作ってすむヨコエビであ

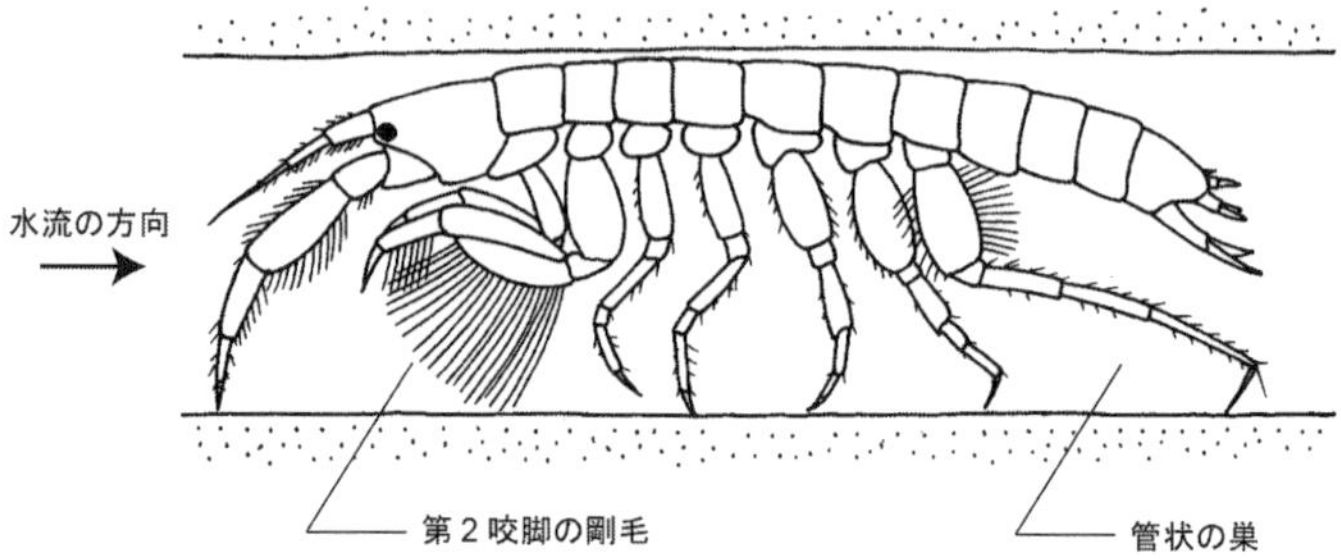

図Ⅱ-3　ドロクダムシと管状の巣（棲管）。第2咬脚に生えた剛毛は棲管いっぱいに広がり、前方から流れてくる有機物の粒子を効率よく集めることができる。Dixon & Moore（1997）を参考に作図。

る（図Ⅱ-3）。泥のトンネルは崩れやすいため、棲管の壁面はヨコエビ・シルクで補強されている。ドロクダムシ類の体は円筒形に近い形をしており、ふつうのヨコエビのように左右に扁平ではない。円筒形の体型は狭い棲管の中での生活に適している。

ドロクダムシ類の体高が低いのは、胸部の「盾板」があまり発達しないことによる。盾板はヨコエビの体に水の通り道をつくるために役立っていると述べたが、ドロクダムシ類の場合、筒状の巣の中に水を通すことで棲管自体が集水管として水路の役割を果たし、効率的に自分の体に水流を当てることができるのである。そのため、盾板を発達させる必要がなかったのだろう。

棲管内の水の流れは、やはり腹肢の働きによりつくり出される。ドロクダムシは水流によって棲管内に入ってきた有機物粒子を咬脚に密生した剛毛のザルで集める。この剛毛は棲管いっぱいに広がり、流れ込む水のほとんど全てがこのザルを通ることになるらしい。しかも剛毛は二列になって生えているため、いわばザルが二重になった状態になっており、もれなく有機物粒子をキャッチすることができる(Miller 1984; Dixon and Moore 1997)。さらに剛毛の「ザル」の目の細かさの程度により、集める有機物の粒子のサイズを仕分けることができる。ドロクダムシ類のいくつかの種では直径五〜五三マイクロメートルの粒子をふるい分け、それらを一秒間に二十個以上の速度で食べることが知られている(Miller 1984)。非常に効率のよい採餌システムである。

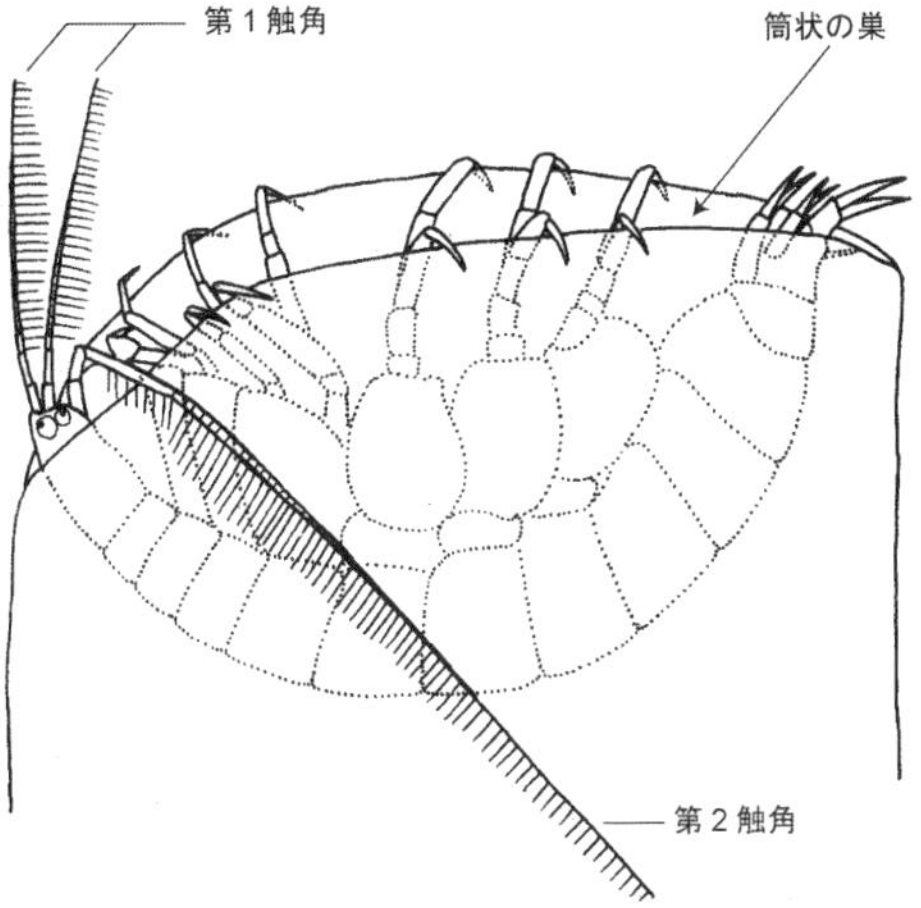

図Ⅱ-4　筒状の巣の上端に位置するスガメヨコエビ。Mills (1967) を参考に作図。

触角を高速回転させて有機物粒子を集める

スガメヨコエビ類の多くの種も、懸濁物食性である。スガメヨコエビ類は前方に大きく突き出た頭をもち、その先につぶらな眼があるチャーミングなヨコエビの仲間である(図Ⅱ-4)。スガメヨコエビの仲間は世界中の浅い海に広く分布していて、海底に垂直方向の穴を掘り、その中に住んでいる。巣の縁は海底より少し高く盛り上がっている。スガメヨコエビはこの巣の上端で仰向けになり、縁に脚の爪をひっかけて体を固定する。頭を巣の上縁から少し外に出すことで、頭の先にある眼で巣の周囲を見回すことができる。

スガメヨコエビは剛毛の生えた長い触角(第一触角)を水中に広げる。こうすることで頭上を通過する水中の有機物粒子を触角で集めて食べるのである。さらに腹肢の運動に加えて、一分間に一一六回転に達するという速さで触角(第二触角)をクルクルと回転させて体のまわりに水流を起こすことで、水中の有機物粒子を効率的に集めている(Mills 1967)。有機物粒子は体の腹面中央あたりにたまるので、これを剛毛の生えた脚で集めて食べていると考えられている。

食事は逆立ちして

サカサヨコエビというヨコエビの仲間がいる。この仲間にはちょっと変わった習性がある。腹側を上にした状態で体をU字形に曲げ、三対の脚を使って海底に逆立ちしているのである(図II-5)。ふつう動物は、天敵に急所である腹側をみせることを嫌うため、よほどリラックスした状態でない限り、開放的な空間で腹部を上にした状態でじっとしていることはない。しかし、サカサヨコエビ類は常に仰向けになって逆立ちしているのである。なぜ逆立ちしているのか。

じつはサカサヨコエビは、仰向けの体勢で餌となる有機物粒子が上から落ちてくるのを待っているのである。そして、落ちてきた餌が触角や脚に生えた長い剛毛に触れると、口のまわりの脚を器用に使って素早く口に運んで食べるのである。サカサヨコエビは仰向けになったまま、三対の脚を交互に動かしてゆっくりと海底を歩くという。しかし意外にも泳ぎは素早く、ひとたび敵が近づくと体をぴんと伸ばし逃げ去るらしい(Enequist 1949)。逆立ちして餌を待つというのは、天敵から逃げるスピードには自信があるからこその採餌スタイルなのだろう。

図Ⅱ-5　サカサヨコエビの一種(体長約15 mm)。角井敬知氏撮影。

餌にも住みかにもなる海藻

沿岸域にはホンダワラやコンブなどの海藻が繁茂する「藻場」が形成される。このような藻場には多様なヨコエビが生息する。ヨコエビは、直接海藻をかじって食べるものや、海藻表面に生える珪藻などの微細藻類を食べるものなどがいる(横山二〇〇八)。

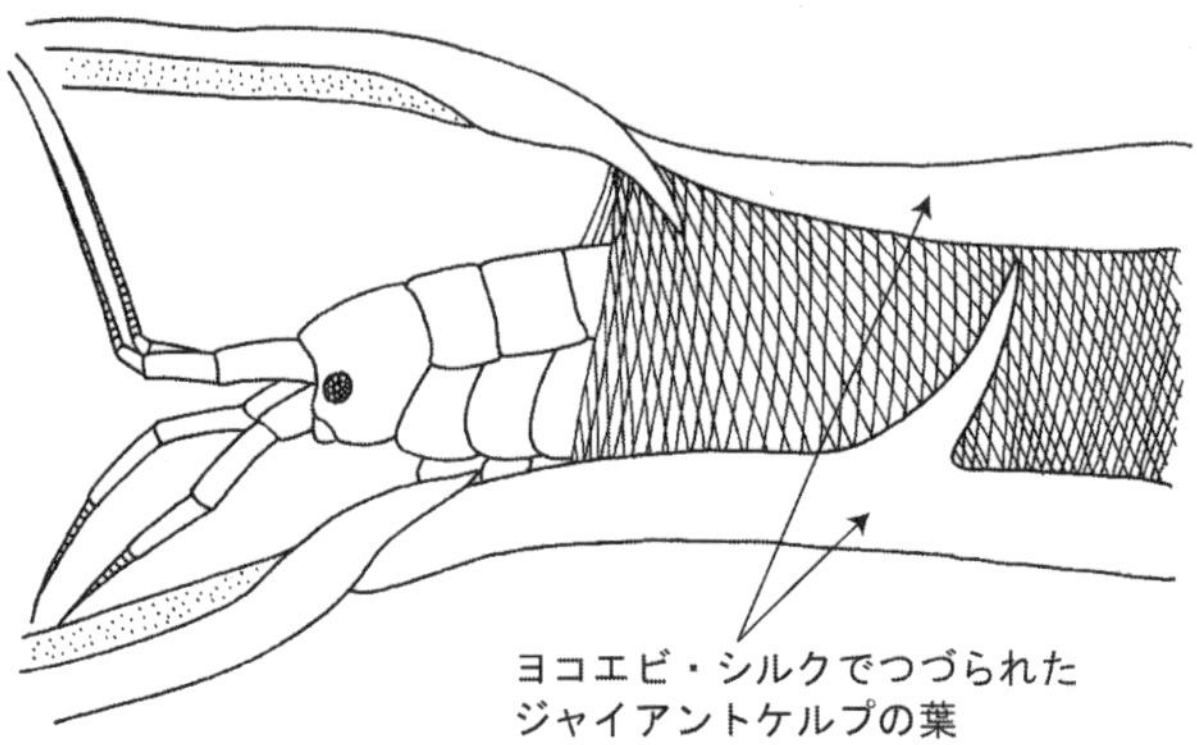

図Ⅱ-6　ジャイアントケルプの巣から顔を出すペランピトエ・フェモラタ。Cerda et al. (2010) を参考に作図。

海藻を食べる代表的なヨコエビに、ヒゲナガヨコエビの仲間がいる。漢字で書くと「髭長横蝦」。長い触角を髭に見立てた名前であるが、触角の長いヨコエビはほかにもたくさんいるので、ややまぎらわしい名前である。ヒゲナガヨコエビ類は、藻場では比較的大型のヨコエビで、体長が二センチメートルをこえる種もいる。

ヒゲナガヨコエビ類は典型的な海藻食性のヨコエビで、コンブやワカメなどの褐藻、アオサなどの緑藻を好んで食べる。彼らはまた、脚の先から出したヨコエビ・シルクで海藻を巻き込んで綴り合せたり、切り取った海藻をつなぎ合わせたりして巣をつくる。つまり、ヒゲナガヨコエビ類にとって海藻は大事な食料であると同時に、天敵から身を守るための隠れ家にもなるのである。

ヒゲナガヨコエビ類の海藻の利用に関する興味深い研究例を紹介したい(Cerda et al. 2010)。ヒゲナガヨコエビ類の一種ペランピトエ・フェモラタは、南米チリの沿岸の巨大なコンブ、ジャイアントケルプの森にすむ種類である(図II-6)。ジャイアントケルプの森にはヨコエビを狙う魚類などの捕食者が多く存在するため、ペランピトエ・フェモラタはジャイアントケルプの葉に巣を作って身をひそめて生活している。この巣はジャイアントケルプの葉を中央で二つ折りにした形で綴り合わせて作られるが、作成には二時間ほどを要するという。

さて、巣が完成するとヨコエビは食事に移る。餌はジャイアントケルプの葉である。ジャイアントケルプなら巣のまわりに豊富にある。とはいえ、巣から餌を食べに天敵がうろついている海中に出ることは自殺行為である。そこでペランピトエ・フェモラタは巣にこもりながら、巣の周囲の葉を食べるのである。これなら天敵に襲われる心配もなく、安心して食事ができる。しかし、ここで大きな問題が生じる。海藻を食べ進めると、必然的に自分の巣を破壊することになってしまうのである。この問題に対してペランピトエ・フェモラタは、次のような方法で対処しているのである。

ジャイアントケルプの葉は根元に生長点がある。そのため、葉は根元から先端に向かって伸びていく。そこでランピトエ・フェモラタは、ジャイアントケルプの葉の先端付近に巣をつくり、巣にこもりながら周囲の葉を食べるのである。やがて巣の周囲の葉は食べつくされる。そうするとヨコエビは、巣を徐々に葉の根元方向につくり足していく。こうすることで、先端方向に伸びてくる葉を最大限利用して、一枚の葉を効率的に食べ続けることができるのである。この様子は、まるでベルトコンベアー上のある一点にヨコエビがとどまっているようにみえるという。ペランピトエ・フェモラタは、ジャイアントケルプの葉の成長を計画的に利用しているのである。

しかし、いつまでも一枚の葉を食べ続けられるわけではない。日数が経過するにつれて、徐々にジャイアントケルプの葉の成長は緩やかになり、やがて成長が止まるからである。そうすると、ヨコエビが葉を食べ進めるスピードと葉の伸長のバランスが崩れ、最終的に葉を食べつくしてしまう。そうなると、ヨコエビは新たな葉を求めて移動しなくてはならない。同じ葉の上で一生安泰というわけには行かないようだ。

コンブに巣食う奇妙なヨコエビ

ヨコエビは海藻の表面だけにいるわけではない。海藻の内部に潜り込んでしまうヨコエビもいる。コンブノネクイムシがそうである。コンブノネクイムシは体長約七ミリメートル、背腹にやや扁平であるため一見すると華奢なワラジムシのようにみえるが、れっきとしたヨコエビの仲間である(図Ⅱ-7)。

このコンブノネクイムシは、コンブやワカメを食べながら内部に穿孔していくという習性をもつ。

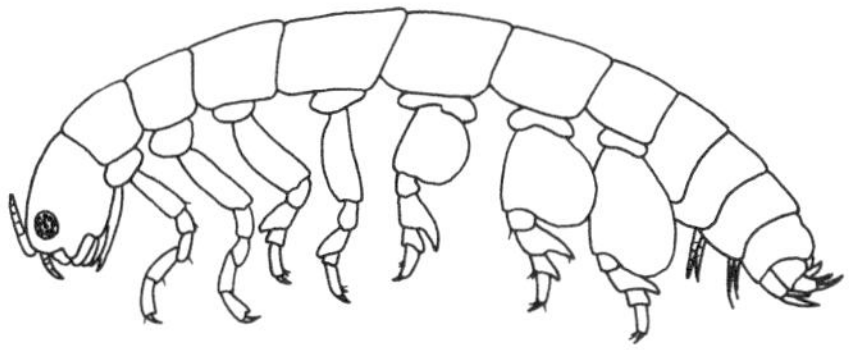

図Ⅱ-7　コンブノネクイムシ(体長約7 mm)。Stephensen (1933) を参考に作図。

そして海藻を食べ進みながらトンネル状の坑道をつくり、そこを生息場所にしてしまうのである(青木二〇一三)。海藻の内部に潜んでいれば天敵に襲われる心配はなく、餌に困ることもない。彼らにとっては絶好の生息場所である。しかも興味深いことに、一つの巣穴には一夫一妻のペアと彼らの子供たちが同居しているのである。

いっぽう、コンブやワカメは人間にとっても利用価値の高い海藻で、重要な水産資源である。コンブノネクイムシに穿孔されてしまったコンブやワカメは生育が悪くなるだけではなく、みた目が悪くなり商品価値を失うため、大きな漁業被害をもたらす(川井二〇一六)。また、コンブノネクイムシは海藻の茎や根(正確には植物の茎と根にあたる茎状部と付着器)の部分に潜り込む。天然のコンブやワカメでは、その部位は海藻が海底に付着する上で重要な役割がある。しかし近年、北海道では大発生したコンブノネクイムシがコンブの茎や根に入り込んで食い荒らすことにより、かじられた部分が弱くなり、その結果コンブが流失するという被害が生じている(川井二〇一六)。漁業関係者にとっては頭の痛い問題であり、なんとか駆除したいと考えるだろう。

しかし、コンブノネクイムシに悪気があるわけではない。駆除一辺倒ではなく、なんとかヒトと

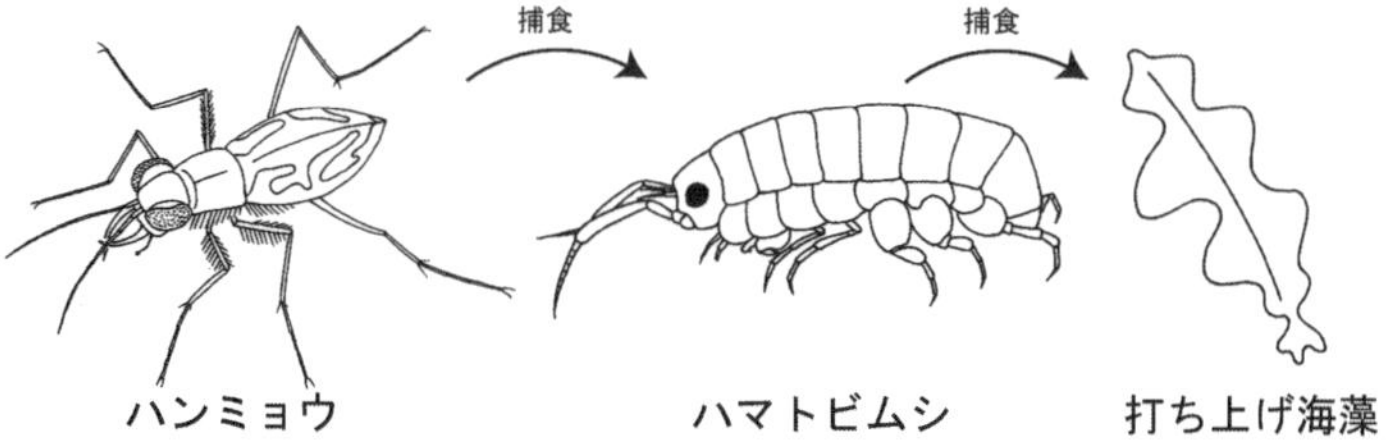

図Ⅱ-8　打ち上げ海藻に依存する砂浜の食物連鎖。

ヨコエビ、共存の道を探っていきたいものである。

打ち上げ海藻も大事な資源

細かい砂が一面に広がる砂浜は、我々にとっては海水浴に絶好の場所である。この砂浜、じつは生き物にとっては生きるのに過酷な環境なのだ。砂浜は潮の満ち引きによる海水面の変動、波や風などの影響を強く受けるからである。まるで砂漠のような砂浜海岸では、一般的な陸上環境では生産者となるはずの草や木などの緑色植物がほとんど育たない。そのため、一次生産(生産者により合成された有機物)のほとんどを海から供給される打ち上げ物に依存するという特異な生態系が形成されている(佐藤ほか二〇〇五)。

そんな過酷な砂浜海岸に生息する生物にとって、最も重要な餌資源となるのが打ち上げられた海藻である。この打ち上げ海藻を餌として、また隠れ家として利用するのが、陸生ヨコエビのハマトビムシの仲間だ(Adin and Riera 2003)。海岸に打ち上げられた海藻をもち上げると、その下からたくさん飛び出してきてぴょんぴょんと跳ね回る、あのノミのような動物である。

ハマトビムシ類は、肉食性の昆虫であるハンミョウ類に捕食されることが知られている(佐藤ほか二〇〇五)。つまり、砂浜環境では、打ち上げ海藻(一次資源)―ハマトビムシ類(腐食者)―ハンミョウ類(捕食者)という独特な生物間関係が形成されているのである(図Ⅱ-8)。

前に述べたように砂浜海岸は海水浴場として利用されることが多く、そうなると砂浜に打ち上げられた海藻は余計なゴミとして扱われてしまう。実際、海水浴シーズン前には砂浜の清掃が行われて、打ち上げ海藻も廃棄処分されている。しかし、砂浜生態系において打ち上げ海藻はゴミどころか、さまざまな生物の生息場所や餌資源として重要な役割を担っているのである。「ゴミひとつない砂浜」は人間にとっては快適な娯楽の場かもしれないが、そこにすむ生き物にとって荒廃した砂漠になってしまうことを少しでも多くの人に知っていただきたい。

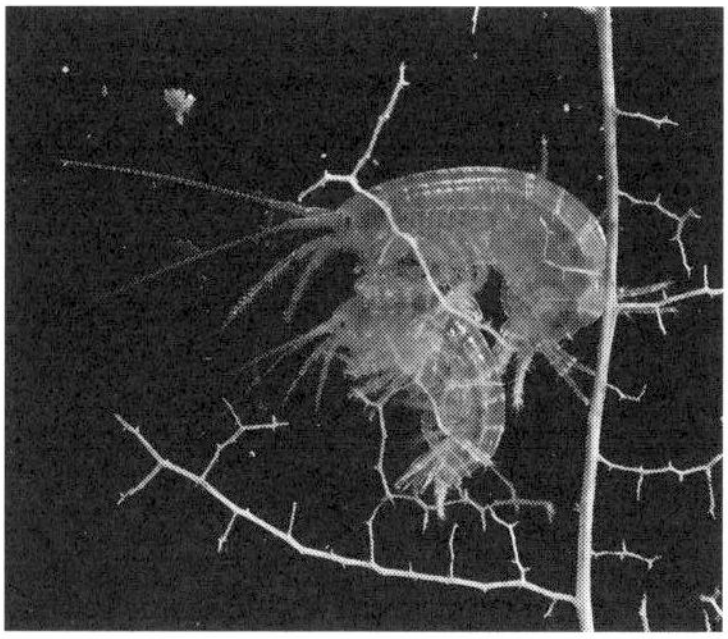

図Ⅱ-9　ニッポンヨコエビの抱接ペア。上が雄で下が雌。本種は西日本の淡水域に広く生息する。

落葉や木くずも重要な餌

陸上の草木から散り落ちた葉は、土壌に堆積する。落葉にはやがて菌類(カビやキノコの仲間)や細菌が繁殖し、葉は柔らかくなっていく。これを、森林土壌などの内陸に生息するヨコエビであるハマトビムシ類が餌として利用する。落葉はまた、直接または風に乗って池や川にたまる。水中にたまった落ち葉などはニッポンヨコエビやオオエゾヨコエビ、ヤマトヨコエビなどの池や川に生息する淡水性のヨコエビにとって重要な餌となる(図Ⅱ-9)。さらにトンガリキタヨコエビ(図Ⅱ-15参照)やニッポンモバヨコエビなどの河口域や浅海に生息するヨコエビも、川の流れにより海まで運ばれた落葉などを餌として利用することがある(櫻井二〇〇四・櫻井ほか二〇〇七)。

陸上植物の細胞壁の主成分は、セルロースという物質である。セルロースは難分解性であるため、ヒトを含め多くの動物は消化することができない。しかしヨコエビの中にはセルラーゼとよばれるセルロースを分解する消化酵素をもっている種も知られており、落ち葉に含まれるセルロースを分解して栄養として吸収することができるのである(Wildish and Poole 1970; Zimmer and Bartholme 2003)。また、ヨコエビは落葉を食べることで、落葉で増殖した菌類や微生物も栄養にしていると考えられている(大高二〇一二)。

驚くべきことに、深海に生息するカイコウオオソコエビは、木片も分解できる強力なセルラーゼをもつ。カイコウオオソコエビは、水深六〇〇〇メートルより深い超深海域にのみ生息する。本種はマリアナ海溝のチャレンジャー海淵(水深一万メートルをこえる)からもみつかっていることから、世界で最も深い場所に生息する生物のひとつとされている。カイコウオオソコエビが生息するような超深海は、大きな水圧（水深一万メートルで約一〇〇〇気圧）と低水温という過酷な環境である。おまけに光合成に必要な太陽光が届かないため、浅海域では生産者として物質生産を支えている植物プランクトンなどの光合成生物は深海では生きていくことができない。そのため、深海底に生息する生物は、表層から海底に落ちてくるわずかな食物を利用するしかない。カイコウオオソコエビは、海底に落ちてきた木片などを分解できる強力な消化酵素をもつことで、餌が極めて少ない深海環境でも生きていけるのである。

このように陸上植物由来の有機物は、陸上のみならず淡水や汽水、沿岸、そして深海にいたるさまざまな環境で、ヨコエビに利用されているのである。

生きている動物を襲う

生きている動物を襲って食べるヨコエビの種はあまりいないが、中にはほかの動物を捕食する肉食性の種もいる。

クチバシソコエビ類は、鳥の「くちばし」のように突出した頭部が特徴的なヨコエビである（図II-10）。海底の砂や泥の中に潜み、頭の先端にある眼だけを出して獲物を待ち伏せする。そして、近づいた獲物を鎌のような形をした咬脚を使って、捕らえて食べるのである。クチバシソコエビ類が餌とするのは、ソコミジンコ類などの小型の甲殻類である (Yu et al. 2003)。

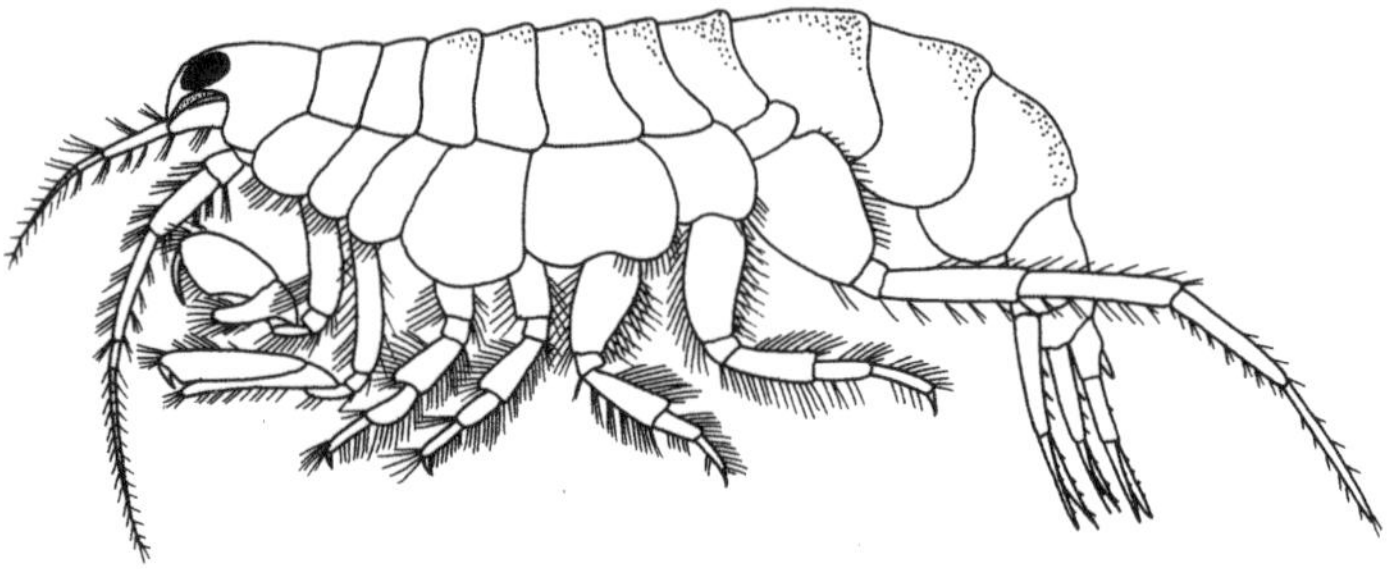

図II-10　クチバシソコエビ（体長約5 mm）。頭部の先端が鳥のくちばしのように伸長するのが特徴。Barnard and Karaman (1991) を参考に作図。

ところで、驚くべきことに多くのクチバシソコエビ類は、頭のてっぺんに一つだけ眼をもつ。そのおかげで、海底に潜みながら、潜望鏡のように眼だけを外に出して獲物を狙うことができる。おそらくクチバシソコエビの祖先は左右に一つずつ眼をもっていたのだろう。しかし、水底に潜むという生活スタイルをとったため、進化の過程で徐々に頭の上の方へ移動して行き、最終的に二つの眼は頭頂で一つにまとまったのだろう。

いっぽう、積極的に餌となる動物を追いかけて捕らえるヨコエビもいる。水深五〇〇〇～一万メートルの深海に生息するプリンカクセリア類は、主にヨコエビを捕食する肉食性ヨコエビである（図II-11）。プリンカクセリアは遊泳に適した形態をしており、深海底を素早く移動しながら、餌となるヨコエビを捕食する (Jamieson et al. 2012)。南極海の冷たい氷の下にすむガマルス・ウィルキツキイという種も、肉食性のヨコエビだ。この種は海の中を素早く泳ぎながら、

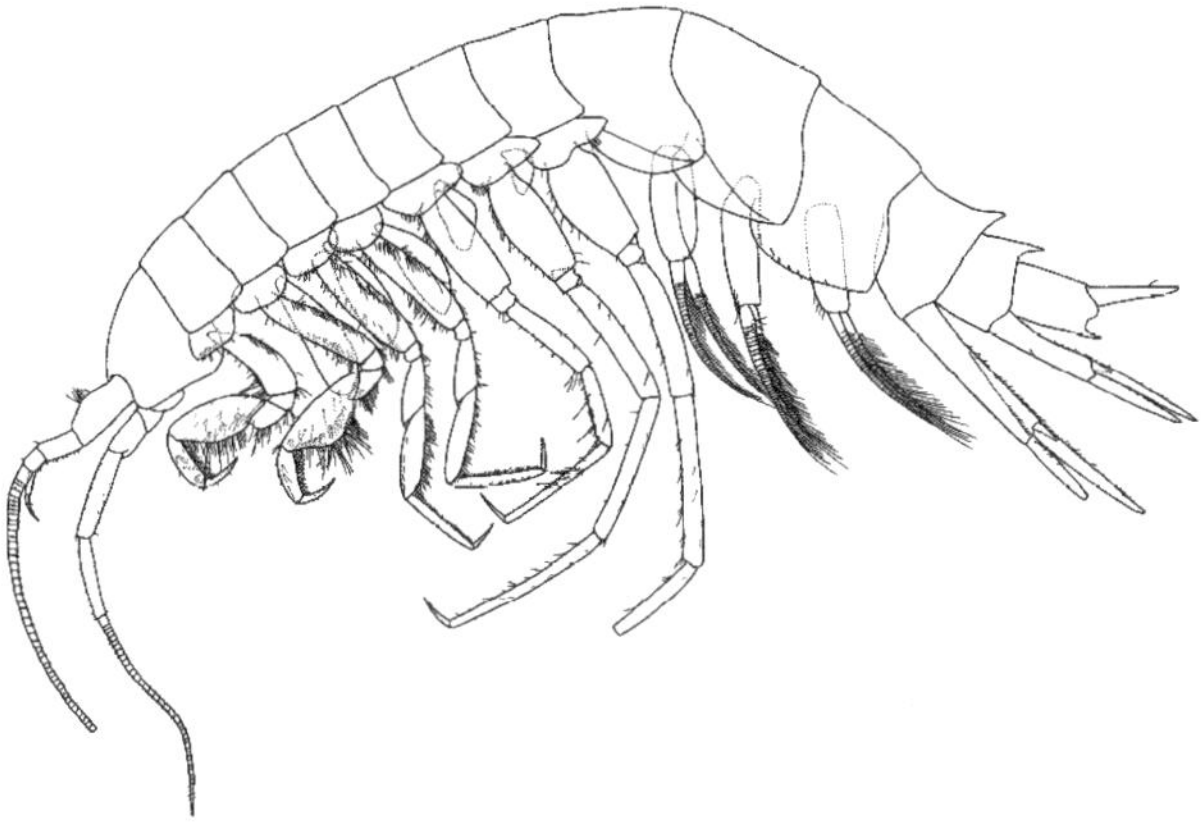

図Ⅱ-11　著者らによりマリアナ海溝から新種記載されたプリンカクセリア・マリアナエンシス（体長約24 mm）。Tomikawa et al. (2021) より。

鎌状の咬脚でプランクトン性のヒゲナガケンミジンコ類を捕えて食べる(Werner et al. 2002)。ただし、ガマルス・ウィルキツキイは完全な肉食性ではなく、ほかの多くのヨコエビと同じように、水中の有機物粒子も積極的に食べていることが知られている(Poltermann 2001)。

このように、肉食性のヨコエビが最も多く餌としているのは小型の甲殻類である。そのほか、ヨコエビはゴカイなどの多毛類、イトミミズなどの貧毛類、センチュウ類なども好んで餌としている(Guerra-García et al. 2013)。

腐肉もごちそう

腐肉、つまり動物の死肉はヨコエビにとってごちそうである。普段は植物性の餌を食べている種でも、動物の遺骸があるとこれに群がって喜んで食べるものが多い。海や川などで動物の遺骸をほとんどみかけないのは、ヨコエビなど自然界の「掃除屋」が、あっという間に食べて分解してしまうからである。このような掃除屋のことを「分解者」といい、生態系で重要な役割を果たしているのだ。特にヨコエビは個体数が多く、分解する有機物量も多いため、掃除屋としての貢献度はかなり高い。

図Ⅱ-12　産卵を終えたサケの死骸（ホッチャレ）。

　サケやマスの仲間は川で生まれ海に降って成長するが、産卵のために再び生まれた川に戻ってくることはよく知られている。産卵後、多くの個体は力尽きて、そこで一生を終える。産卵が終わった川には、彼らの死体が残されるのである（図Ⅱ-12）。こうしたサケ・マスの死体はホッチャレとよばれ、栄養価が高いためにクマやキツネなどさまざまな動物に食べられる。しかし、ホッチャレを利用するのは大型の動物だけではない。カワゲラやトビケラ、ユスリカといった水中にすむ多くの小型の無脊椎動物もホッチャレを食べることが知られている。そして、とりわけヨコエビがこれを好む。

　北海道では秋になると、サケやサクラマスが産卵のために川を遡上する。彼らは河川の中でも水底から水が湧き出ているところ、つまり湧水域で産卵する。この湧水域には数種の淡水性のヨ

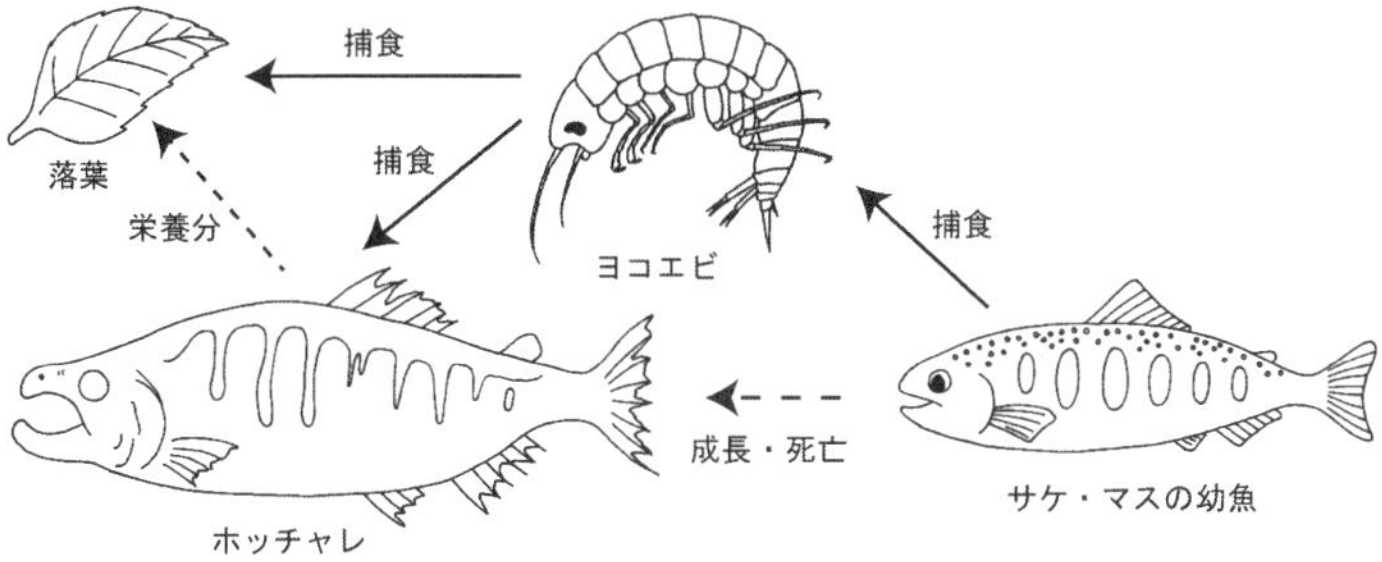

図Ⅱ-13　ヨコエビとサケ、マスにおける「食う－食われる」の関係。

コエビが生息しているが、そのうちの一種、トゲオヨコエビが産卵を終えて死亡したサケやマスのホッチャレに群がって食べることが知られている(Ito 2003)。その数はおびただしく、ホッチャレ一尾あたり三六二四個体ものトゲオヨコエビが集まっていたという記録がある(中島・伊藤 二〇〇〇)。普段は落葉などを食べているトゲオヨコエビにとって、ホッチャレは待ちに待った美味しい秋の味覚なのであろう。なお、「ムツゴロウさん」の愛称で知られる動物研究家の畑正憲氏から著者が聞いた話では、カムチャッカ半島でも大量のヨコエビがホッチャレに集まっており、このヨコエビ付きホッチャレをヒグマが食べていたという。

このホッチャレ、直接食べられなくても、さまざまな生物にその恩恵を与えている。じつはホッチャレの栄養分は水中に溶けだし、落葉の表面の微生物を増やすのである。これにより落葉の栄養価は高まる。北海道に分布する別の淡水ヨコエビであるオオエゾヨコエビはトゲオヨコエビとは異なり、直接ホッチャレを食べることはほとんどないが、栄養価が高まった落葉を食べることで、間接的にホッチャレの栄養を取り込んでいるのである(伊藤・川村二〇〇三)。

こうしてホッチャレを直接・間接的に利用して成長し繁殖したヨコエビは、やがて産まれ来るサケやマスの子供たちの餌となる(図II-13)。北海道の河川では、こうしたヨコエビとサケ・マスとの関係が毎年繰り返されるのである。

「えびかご」の餌をくすねる犯人

さて、生態系では「分解者」として重要な役割を果たしているヨコエビ類であるが、その旺盛な食欲から漁業被害を引き起こしてしまうことがある。

餌を入れたかご(トラップ)を海底に沈めて、餌のにおいにつられてやって来る生物を採捕する「かご漁法」とよばれる漁法がある。日本海では、ホッコクアカエビやトヤマエビなどを漁獲する「えびかご漁業」が盛んに行われている。「えびかご漁業」では餌としてタラやサンマなどが使われる。しかし、肝心のエビがかごに入る前に何者かによって餌の魚がくすねられてしまい、エビがなかなか獲れないという問題が生じている(新潟県新資源管理制度総合評価委員会二〇一七)。

「えびかご」の餌をくすねている不届き者として名前が挙がっている生物が、ヨコエビである。ヨコエビの場合、種数が多く、また似た種が多いため見分けることが難しく、漁業被害を起こしている具体的な種名までは明らかにされていない。しかし、いくつかの被害報告（例えば星野 一九九九）から総合的に判断すると、どうやら餌泥棒の主犯はフトヒゲソコエビの仲間らしい。

ころころとした丸い体型と大きな眼、そして太い触角が特徴のフトヒゲソコエビ類は、浅海から深海まで広く分布する腐肉食性のヨコエビである（図II-14）。普段は水底の砂や泥に潜って身を潜めているが、ひとたび餌のにおいを嗅ぎつけると、優れた遊泳力を生かして餌に向かって群がる。「えびかご」に入れられた魚肉などの餌は、彼らにとってまさにご馳走である。そしてヨコエビよりもずっと大きいサイズであるエビ類をターゲットとしている「えびかご」が、ヨコエビの侵入を容易に許すことは想像に難くない。

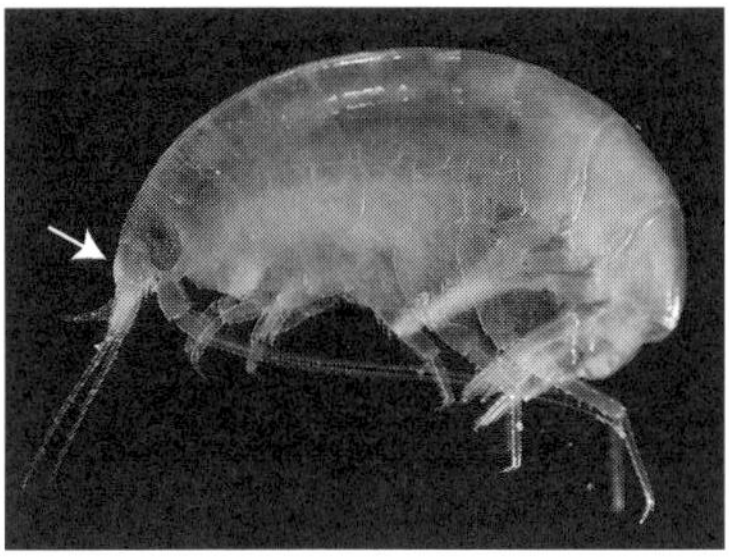

図II-14　フトヒゲソコエビの一種（体長約10 mm）。「フトヒゲ」という名前は、触角の基部が太くなるという特徴にちなむ（矢印）。

漁業被害は「えびかご」だけにとどまらない。フトヒゲソコエビ類は、弱っている魚類などの大物でも襲って食べてしまう。そのため、魚網にかかった魚が食害されてしまうという被害も出ている。富山湾は海の幸が豊かな優れた漁場で、タイやヒラメ、カレイなどさまざまな魚種が漁獲されている。しかし近年、富山湾に流れ込む黒部川河口域で、定置網などにかかった魚が大量のヨコエビに食い荒らされてしまうという深刻な被害が生じているのである。ヨコエビが大発生してしまう原因として、黒部川上流のダムにたまった土砂を下流に流す「排砂」とそれにともなう有機物の富山湾への流入が疑われているが、原因は明らかではない。この食害を起こしているヨコエビも、フトヒゲソコエビ類ではないかと考えられている。

魚卵を食べる

シシャモ(カラフトシシャモ)もニシンも、美味しい魚である。そして、どちらも身はもちろん、卵もまた食用として人気である。しかし、人間だけではなく、ヨコエビも彼らの卵が大好物なのである。

シシャモは、卵を腹いっぱいに抱えた雌が「子もちシシャモ」として重宝される。初夏の夜、シシャモは産卵のため、沿岸の波打ち際に大群で押し寄せてくる。彼らは、浅瀬の砂礫底にばらまくように産卵する。この砂礫の間に、シシャモの卵を狙うヨコエビが潜んでいるのである。

カナダ東海岸での研究によると、ウラシマヨコエビの仲間であるカリオピウス・ラエビウスクルスという種は、シシャモが産んだすべての卵のうち五%から三〇%も食べてしまうらしい。なぜこれほど旺盛な食欲でシシャモの卵を食べるのかというと、このヨコエビの成長期がシシャモの産卵期と一致しているからなのである。魚卵のご馳走をたらふく食べて、ヨコエビは大きく成長するというわけである(DeBlois and Leggett 1993)。

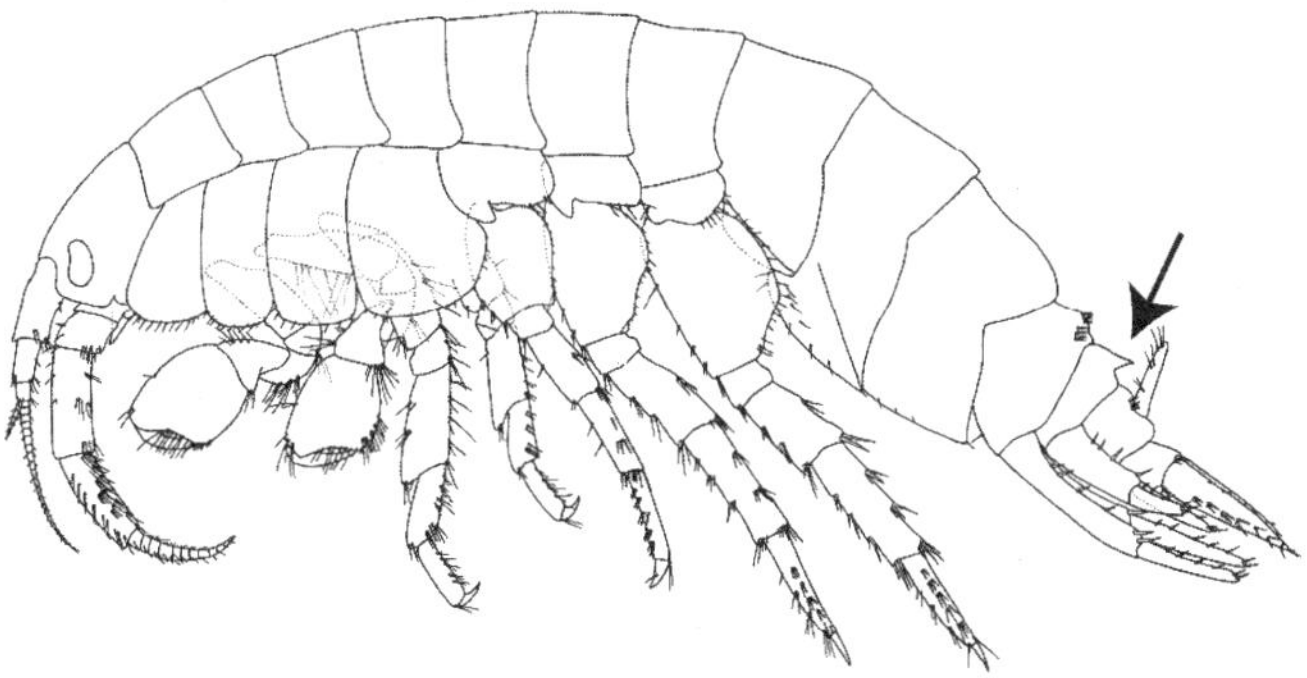

図Ⅱ-15　トンガリキタヨコエビ（体長約20 mm）。「トンガリ」という名前は、腹部背面に突起があることによる（矢印）。

高級食材として扱われる「数の子」は、ニシンという魚の卵である。「数の子」とともにおせち料理で食べることの多い「子もち昆布」は、じつはコンブにニシンの卵が産み付けられたものなのである。ニシンは、産卵期になると沿岸域にやって来て産卵する。ニシンの卵は粘り気が強いため、海の中で海藻などに付着するのである。この卵をトンガリキタヨコエビというヨコエビ（図Ⅱ-15）が捕食することが知られている。腹部の背面に大きな突起をもつために「トンガリ」の名が与えられているこのヨコエビについての北米西海岸での研究によると、産み付けられたニシンの卵の一〇％がトンガリキタヨコエビに食べられてしまうとのことである（DeBlois and Leggett 1993）。トンガリキタヨコエビは体長が二センチメートルくらいと一般的なヨコエビより体がひとまわり大きいため、多くの魚卵を食べるのだろう。

栄養豊富で無防備な魚卵は、ヨコエビにとって絶好の餌である。いっぽうの魚にとっては、せっかく産んだ卵を片っ端から食べられてしまうのだからたまらない。シシャモやニシンはヨコエビの捕食に対抗するために、彼らが食べきれないほどの大量の卵を産卵することで、確実に子孫を残しているのである。

暗闇の中で細菌を食べる

洞窟の内部は光の届かない暗黒環境である。そのため、光に満ちあふれている地表とは生息している生物が大きく異なる。最も大きな違いは、洞窟内部では光合成を行う生物が生育できないことだろう。

光合成とは、光エネルギーを用いて無機物(二酸化炭素と水)から有機物(糖やデンプン)をつくり出すことである。光合成生物は生態系の中で「生産者」とよばれる。動物は自分自身で有機物をつくり出すことはできないので、生産者や生産者由来の有機物(枯死体など)を食べることで有機物を得て生活している。陸上環境では草木などの被子植物、水中環境では藻類などの植物プランクトンが主要な光合成生物として生態系を支えている。

では、洞窟内のように光が届かない環境には、ヨコエビなどの動物の餌となる生産者は存在しないのだろうか。

じつは細菌の中には、光がなくても無機物を酸化することで得られるエネルギーを用いて、無機物から有機物を合成する「化学合成」とよばれる機能をもつものがいるのである。細菌は単細胞の微生物で、ヒトの体の中に入り込んで病気を引き起こすものもあるが、納豆をつくる納豆菌やヨーグルトをつくる乳酸菌のように人間生活に役に立っている細菌もある。

洞窟でみられる主要な化学合成細菌は、鉄を酸化する鉄細菌、アンモニアを酸化する硝化細菌、硫黄を酸化する硫黄細菌である。興味深いことに洞窟のヨコエビは、地下水の泥の中に存在するこれら細菌を食べて生きていることが知られている。このような地下水性のヨコエビは無菌状態では長く飼育することができないという。洞窟内には、細菌を生産者とする独特の生態系が存在するのである。

このほか、洞窟にすむ生物にとってはコウモリの糞なども重要な有機物の供給源である。洞窟に入った経験のある方ならご存じかもしれないが、洞窟内にはしばしばコウモリの糞がうず高く積もっている。洞窟内の水たまりをよくみると、水底にもコウモリの糞がたまっている。このような排泄物にはカビや細菌が繁殖し、これもヨコエビの重要な餌となっているのである。ヨコエビも糞をするので、ヨコエビの糞にも細菌類は繁殖するだろう。ヨコエビは自身の糞上に出現した細菌も食べているかもしれない。洞窟にすむヨコエビの食性を考えるとき、安部公房の小説「方舟さくら丸」に登場する「ユープケッチャ（バクテリアが繁殖した自分の糞を食べて生きるという架空の動物）」を思い起こしてしまうのは著者だけだろうか。

3. 他者との暮らし

自然界では、いくつもの生物がかかわりあって生きている。そのような生物どうしのかかわり合いの中でも、特に密接な二者間の関係に寄生と共生がある。寄生とは、二者のうち一方に利益が生じ、他方には害が生じる関係のことをいう。共生には、一方に利益が生じるが他方に利益も害もない関係の片利共生、両者に利益が生じる関係である相利共生の二つの関係性がある。

ほかの生物に寄生して生きている動物は、しばしば「寄生虫」とよばれる。寄生虫が寄生する相手を宿主という。いろいろな動物において寄生虫として生きている種がいる。例えば、我々ヒトに寄生する寄生虫だけでもノミやダニ(節足動物)、ヒル(環形動物)、カイチュウやギョウチュウ(線形動物)、エキノコックスや日本住血吸虫(扁形動物)など、その動物群は多岐にわたる。いい換えれば、ヒトは多くの寄生虫の宿主となっているのである。

寄生虫は寄生生活にともない、進化の過程で体のつくりを大きく変形させてきたものも多い。ヤドリムシ類は、ダンゴムシなどと同じ等脚類というグループに属する寄生虫である。ヤドリムシ類はほかの甲殻類に寄生する。池や川でエビを採集すると胸のあたりが異様に膨らんでいるエビがみつかることがあるが、それはヤドリムシ類に寄生されたエビである。ヤドリムシ類の雌は体節が癒合して体節構造がみられず、さらに脚が退化して失われているため、ダンゴムシとは似ても似つかぬ姿に変形してしまっている。雄は著しく小型で、雌の体の表面に寄生する。

魚類に寄生するイカリムシは、ケンミジンコの仲間である。キンギョやコイなどを飼育していると、イカリムシの寄生に悩まされることがある。イカリムシの雌はその名の通り船の碇のような形をした頭部をもち、これを魚の体表に突き刺して生活する。イカリムシの雌も体節の癒合と脚の退化により、とうていケンミジンコの仲間とは思えない姿に変形してしまっている。なお、イカリムシの雄はケンミジンコの姿をとどめている。ヤドリムシ類やイカリムシ類も、元々は自由生活をしていたのだろう。そして寄生生活を始める前の祖先は、それぞれダンゴムシやケンミジンコに似た形をしていたと思われる。しかし寄生生活をするようになったことで、例えば活発に移動する必要がなくなり、脚を退化させるなど、祖先とは体つきを大きく変えてきたのだろう。

ヨコエビにも寄生生活を送るものがいる。しかしヨコエビの場合、ヤドリムシ類やイカリムシのように、いわゆるヨコエビ離れした特異な形態をもつ寄生性種はみられない。なぜヨコエビの場合、大きな形態変化をともなう寄生性種がいないのだろうか。ヨコエビは進化的には、浅海から深海、淡水や地下水など多様な環境に積極的に侵入し適応することで現在の繁栄を築いてきたと考えられている(Steele 1988)。そのため、ほかの生物への寄生という生き方や、それにともなう形態変化は、ヨコエビ類の中では他の分類群ほど進化しなかったのかもしれない(Vader and Tandberg 2015)。

ここでは、ヨコエビにみられるさまざまな興味深い寄生・共生生活を紹介したい。

海綿にすむヨコエビ

スポンジは食器洗浄や浴用、化粧、クッションなどさまざまな用途で使われる。現在では合成樹脂から製造されることが多いスポンジだが、もともとは海綿(カイメン)という生物を材料として作られていた。海綿とは最も原始的な多細胞動物で、繊維質の骨格をもつ。この骨格部分が、スポンジとして利用されるのである。

海綿は海に多くみられるが、淡水に生息する種も知られている。岩盤や貝殻、海藻などの上に固着して生活する様子はとても動物とは思えないが、れっきとした動物の仲間である。海綿は体表にある小孔とよばれる多数の小さな穴から水や食物である有機物を取り込み、大孔とよばれる上端の大きな穴から水を吐き出す。ヨコエビは、この穴(おそらく大孔)から海綿の内部へ入り込むのである。

海綿の中にすむ代表的なヨコエビとして、ツツヨコエビの仲間が挙げられる。名前の通り筒のような細長い体形をしており、海綿の内部という狭い空間での生活に適した形態を進化させてきたことがうかがえる(図II-16)。ツツヨコエビの仲間は世界中で約五〇種が知られており、このうち六種が日本に生息する。ツツヨコエビの海綿に対する嗜好性は種ごとに異なるらしく、どんな海綿でも気にせずに利用するものから、ある程度決まった種類の海綿を選ぶもの、そしてこだわり

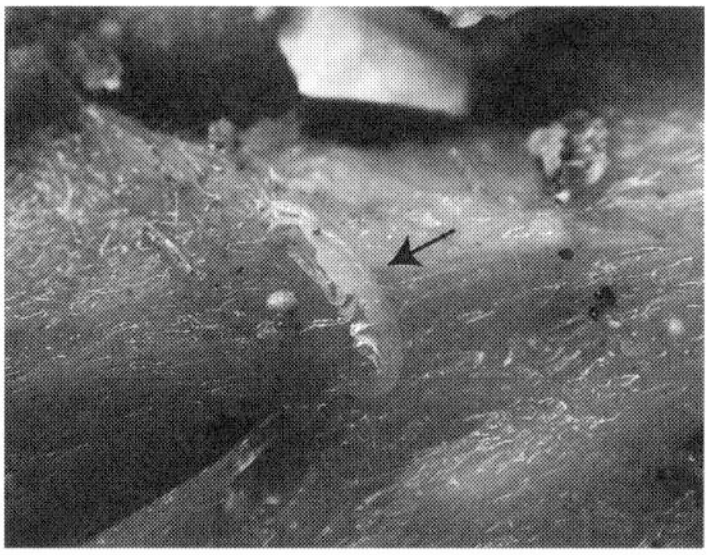

図Ⅱ-16　カイメンの内部からみつかったツツヨコエビの一種(体長約4 mm)。矢印の先は、海綿上のヨコエビを示す。

が強いあまり特定の海綿だけにすむものまでさまざまである(LeCroy 1995)。ツツヨコエビの「こだわり」についてはまだ分かっていないことが多いが、海綿の内部は天敵となる魚類がいないうえに餌となる有機物も流れ込んでくるため、ヨコエビにとっては居心地のよいすみかなのだろう。一方の海綿にとっては多少の有機物が拝借されるものの、ヨコエビがいることで特によいことも悪いこともなさそうである。そのため、ツツヨコエビと海綿は片利共生の関係にあると考えられている。

吸盤でカニに付着

一九九九年、アメリカ西海岸のカリフォルニア沖から、タラバガニの体表に付着して生活する奇妙なヨコエビの新種が報告された(Cadien and Martin 1999)。ミゾタルサ・アナキピリウスと名づけられたこのヨコエビは、カニの体表、特に腹部周辺にしがみついて生活しているが、驚くべきことに脚に吸盤をもつのである。吸盤は胸部にある五対の脚の爪の先に付いていて、ヨコエビはこの吸盤を使ってカニの体表に付着する(図Ⅱ-17)。

ところでフクロムシという動物をご存じだろうか。フクロムシはカニなどの甲殻類に寄生する

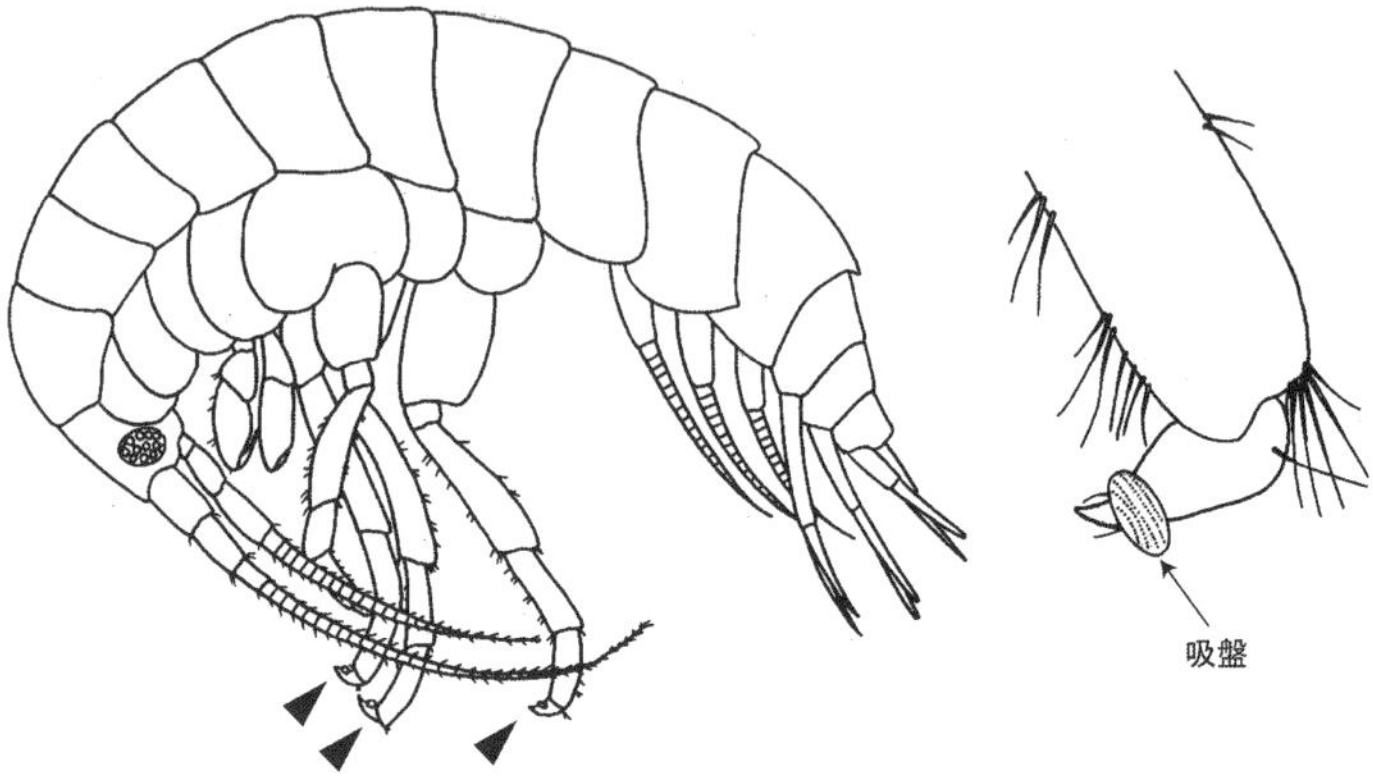

図Ⅱ-17 カニに付着するヨコエビのミゾタルサ・アナキピリウス（体長約5 mm）は、胸肢先端に吸盤をもつ。（左）体の左側面（矢頭は胸肢先端の吸盤）。（右）吸盤がある胸肢先端の拡大。Cadien and Martin (1999) を参考に作図。

甲殻類で、フジツボに近縁な仲間である。興味深いことに吸盤をもつヨコエビのミゾタルサ・アナキピリウスは、ほとんどがフクロムシに寄生されたカニからしかみつかっていないのである。フクロムシの体表はつるつるとなめらかなので、ここでも自慢の吸盤がフクロムシへの付着に役に立つ。しかもフクロムシの体の中には一年中、卵がいっぱい詰まっている（Høeg and Lützen 1995）。ヨコエビはどうもフクロムシの卵を食べているらしく、つまり常に餌には困らないという訳である。

吸盤はかなり特殊な構造であり、ヨコエビの中でもこの種以外に吸盤をもつものは知られていない。アフリカ南西部のナミビア沖に分布するドミコラ・リトデシというヨコエビが爪に剛毛の列をもち、この剛毛を使ってカニに付着し

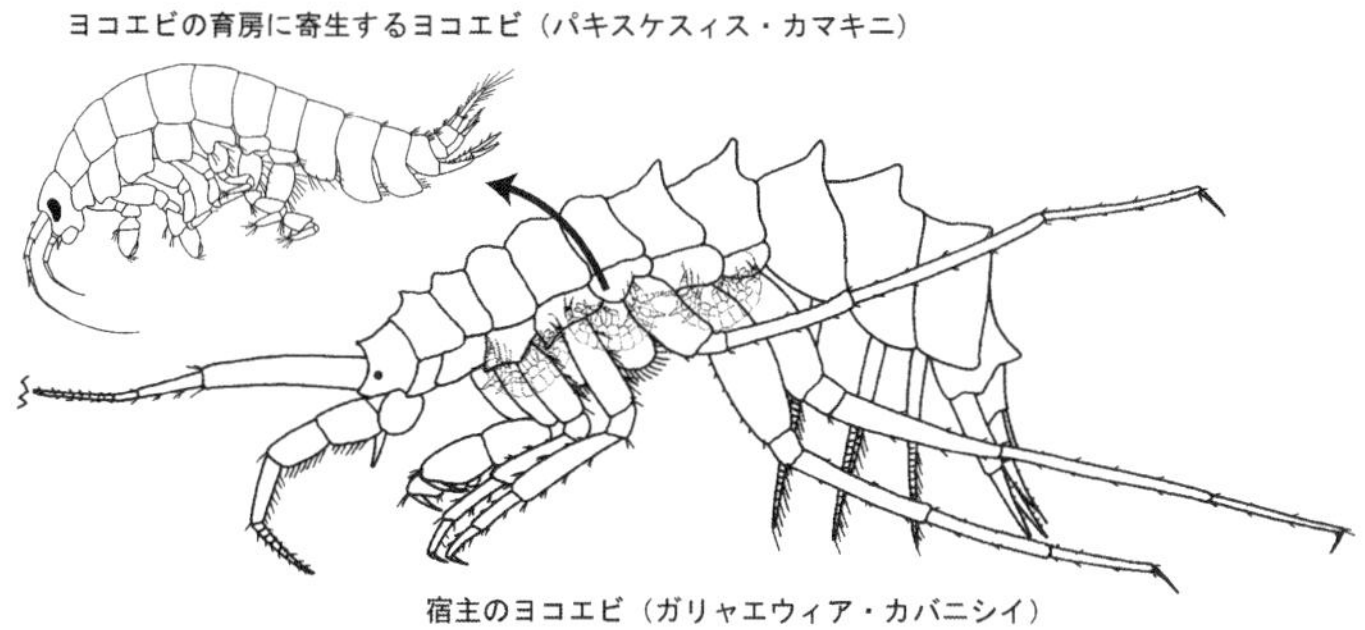

図Ⅱ-18　大型のヨコエビ（体長約8 cmのガリャエウィア・カバニシイ）の育房に寄生するパキスケスィス・カマキニ（体長約 8 mm）。Tachteew (2000) を参考に作図。

ていることが知られている（Pretus and Abelló 1993）。この剛毛の列は、ちょうどミゾタルサ・アナキピリウスの吸盤がある場所と一致している。このことから、吸盤の起源は爪に生えている剛毛で、これが癒合することで吸盤が進化したのではないかと考えられている（Cadien and Martin 1999）。

ヨコエビの吸盤がカニの甲羅などにくっついたり離れたりできる仕組みについては、まだ何も分かっていないが、将来的には水中で繰り返し使える接着剤の開発につながるかもしれない。

ヨコエビに寄生するヨコエビ

最も奇妙な寄生性のヨコエビは、バイカル湖にのみ分布するパキスケスィス属の種であろう（図Ⅱ-18）。この仲間は体長一センチメートル程度で、大型のヨコエビの育房に寄生する。そして宿主ヨコエビの卵を食べるのである（Karaman 1976; Vader and Tandberg 2015）。

パキスケスィス属には一六種が知られているが、多くの種では寄生相手となる宿主ヨコエビの種が決まっているらしい(Takhteev 2000; Vader and Tandberg 2015)。このように、寄生者と宿主が緊密な関係にあることを、宿主特異性が高いという。パキスケスィス属の種では、口の部分にある大顎の形態が卵食に合わせて特化している。ヨコエビの大顎には切歯と臼歯とよばれる部分があり、切歯は餌を切り裂き、臼歯はすりつぶす機能をもつ。パキスケスィス属の種の大顎をみると、切歯が鋭くとがり細長くなっている。彼らはこの鋭く長く伸びた切歯を使って、宿主ヨコエビの卵を突き刺して食べていると考えられている。

ウニの棘の間での生活

一九九〇年代から二〇〇〇年はじめにかけて、北海道でウニのへい死が問題になった。ウニの棘が抜けて死に至るというのである。棘の抜けたウニの表面にはたくさんの小型のヨコエビが付着していたことから、ヨコエビがウニの棘を抜いているのではないかと疑われたのである(町口二〇〇〇)。

当時、著者らは問題のヨコエビを調べる機会に恵まれた。調べてみると、ウニに群がっていたヨコエビはテングノウニヤドリとよばれる仲間のヨコエビであることが分かった。テングノウニヤドリの仲間は世界に三種が知られていたが、宿主が不明な一種を除くとすべての種がウニに寄生

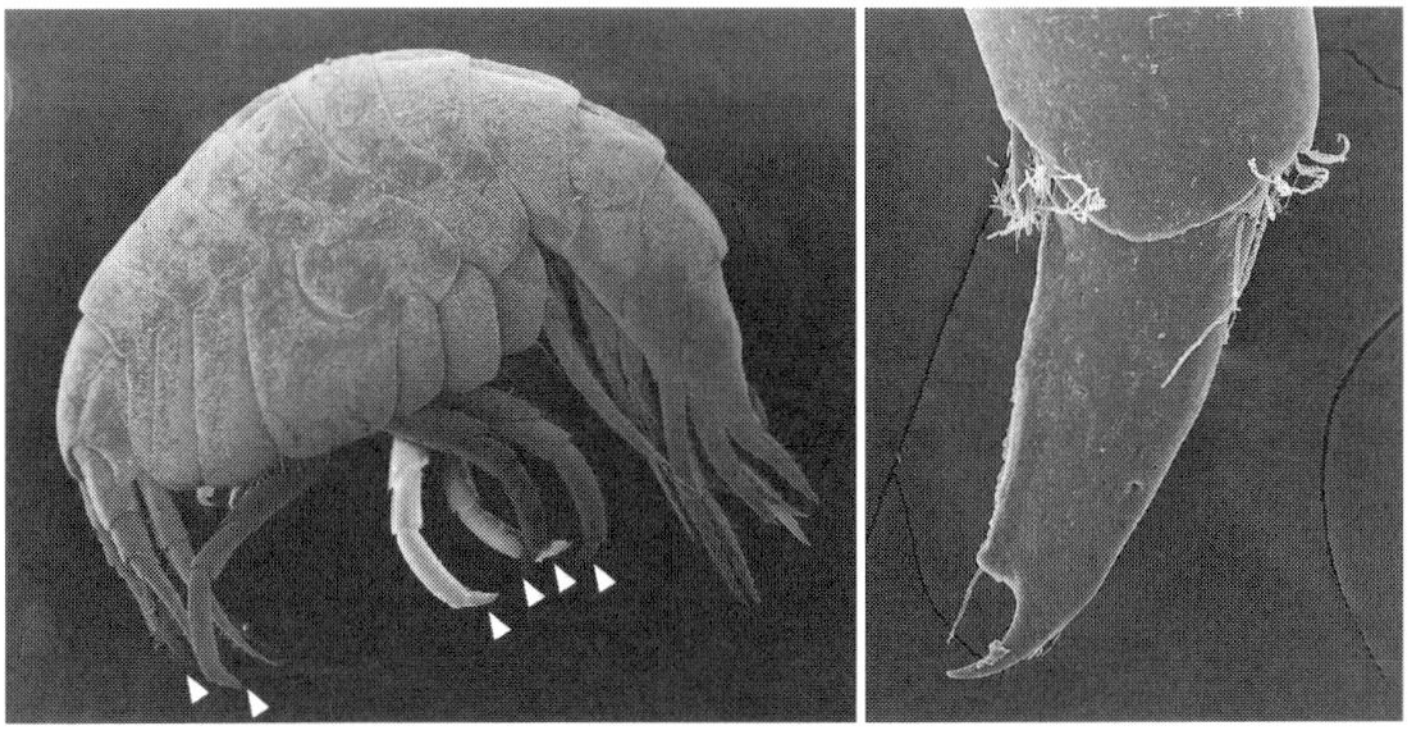

図Ⅱ-19　エゾテングノウニヤドリ（体長約4 mm）の走査型電子顕微鏡写真。（左）体全体（矢頭は胸肢の爪を示す）。（右）胸肢先端の爪。

する。テングノウニヤドリ類の脚の爪は、ウニの棘をつかむのに適した独特なカギ爪状に変形しており、滑り止めの小突起まで多数備えている（図Ⅱ-19）。このことから、テングノウニヤドリ類はウニの棘間での生活に適応していることが分かる。北海道のウニからみつかった種は、それまでにみつかっていた三種のどれとも異なっていたため、新種「エゾテングノウニヤドリ」と命名し公表した（Tomikawa et al. 2004）。

さて、エゾテングノウニヤドリの寄生が確認されたのは、エゾバフンウニとキタムラサキウニの二種である。どちらも北海道を代表する美味しいウニである。しかし、ヨコエビの大量寄生を受け、棘が抜け落ちてへい死しているのはエゾバフンウニだけであった。キタムラサキウニはほとんど寄生されないか、寄生されてもへい死には至っていなかった。

ヨコエビの消化管内を調べてみると、ウニの組織と思われる紫色の物質で満たされており、ウニの体表組織を削り取って食べていることが推測された（町口 一九九一；Tomikawa et al. 2004）。水槽内での観察によると、ヨコエビの寄生を受けたエゾバフンウニは叉棘（さきょく）を使ってヨコエビを排除しようとするという。叉棘とは物をつかむことができる特殊な棘である。ウニはこれを使ってヨコエビを撃退しようとするが、ヨコエビのウニに対する執着は強く、ヨコエビを追い払うことはできないらしい（町口 一九九一）。

それでは、エゾバフンウニのへい死の原因はエゾテングノウニヤドリの寄生によるものなのであろうか。一般的に、寄生虫が宿主に死に至らしめるほどのダメージを与えることはほとんどない。なぜならば、宿主が死んでしまえば寄生虫自身も生きていくことができないからである。寄生虫による深刻な被害は、多くの場合望まない寄生、つまり本来寄生すべきではない相手に寄生してしまったときに起こる。

エゾバフンウニがエゾテングノウニヤドリにとって本来の宿主であるかはよく分かっていないので推測の域を出ないが、ヨコエビの寄生がウニのへい死の直接的な要因ではないように思われる。何らかの要因により健康状態が悪化したところにヨコエビが大量に寄生したことで、棘が抜け落ちるほどの大きなストレスを受け、これがとどめになってウニはへい死に至ったのではないだろうか。

ウニはヒトの口に入る食品であるため「ヨコエビが寄生している」というと世間では「寄生虫のついたウニ」ととらえられて、人体への害を心配されがちである。しかし、筆者の知る限りヒトに

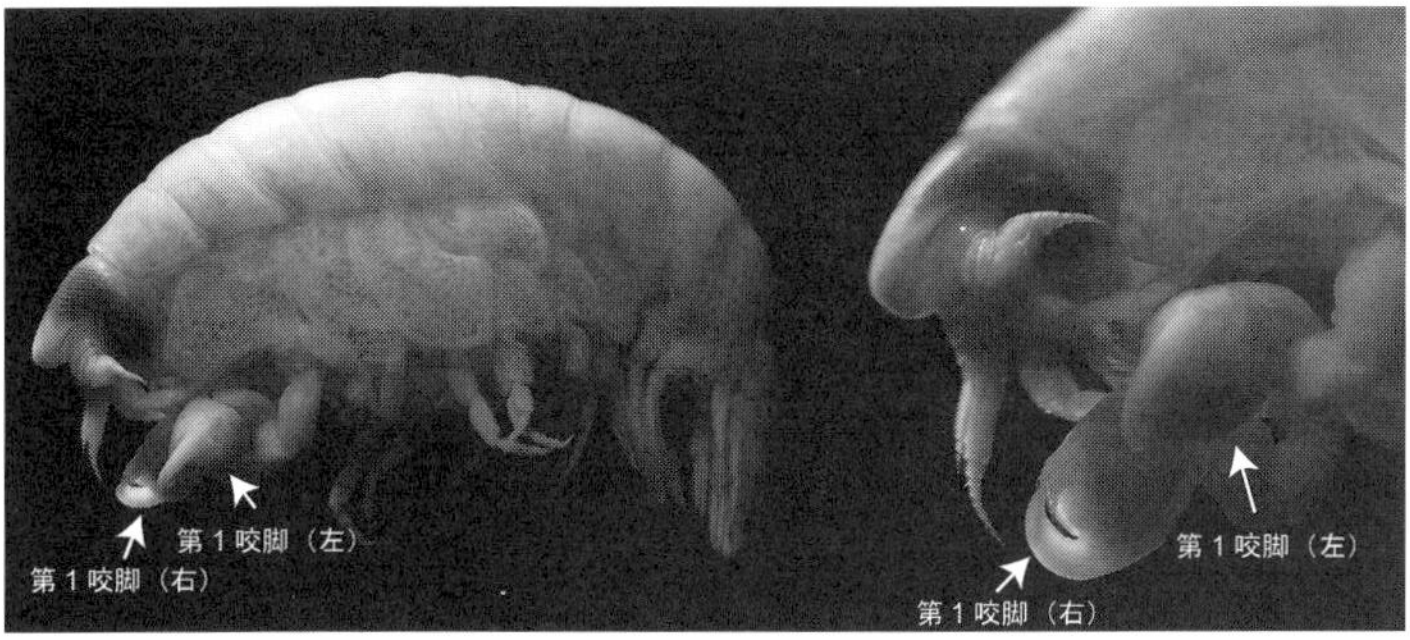

図Ⅱ-20 著者らが新種記載したトウホクサカテヨコエビ（体長約30 mm）のエタノール固定標本。（左）体の左側面。（右）頭部付近の拡大。第1咬脚がふつうのヨコエビとは異なり逆手になる。

対して有害な毒をもつヨコエビは報告されていないし、ヨコエビはウニの殻の内部にある可食部である生殖腺には入り込まないため、そのような心配には及ばない。

魚に寄生

サカテヨコエビという深海性のヨコエビがいる（図Ⅱ-20）。体長は約三センチメートルと、ヨコエビの中では大型の部類に入る。この仲間は深海魚の体表に寄生することが知られており(Bousfield 1987)、日本には一種、トウホクサカテヨコエビが東北地方沖太平洋の水深三〇〇～四〇〇メートルに分布する(Tomikawa and Komatsu 2009)。サカテヨコエビ類は、第一咬脚とよばれる胸部にある脚がフック状に発達する。このフック状の脚は、魚の体表に取り付くのに適した形となっている。サカテヨコエビ類の一番の特徴は、第一咬脚がふつうのヨコエビとは異なり関節部分で一八〇度ねじれていることだ。これによりフックが上に向いた状態（逆手）になり、魚類にしっかりとしがみつくことができるのである（Freire and Serejo 2004）。

残念ながらサカテヨコエビ類は深海性の種であることもあり、生態についてはほとんど分かっていない。彼らが何を食べているのかということですら、じつはよく分かっていないのである。ただ、彼らは鋭くとがった形をした顎をもつことから、この鋭い顎を魚類の体表に突き刺して体液を吸っているのだろう。今後の研究が待たれるところである。

ジンベエザメの口に中にすむ

世界最大の魚類として知られるジンベエザメは、水族館の人気者である。そんなジンベエザメの口の中に大量のヨコエビが付着しているという連絡が著者のもとに届いたのは、二〇一七年のことであった。沖縄美ら海水族館で飼育されていたジンベエザメの口の中に、なんと一〇〇〇個体以上のヨコエビがすんでいたのである。水族館から送ってもらった標本を調べたところ、ジンベエザメの口の中からみつかったヨコエビは「ドロノミ」というグループであることが分かった（図II-21）。じつは沖縄美ら海水族館でもこのヨコエビはドロノミの仲間ではないかと考えていたようで、水族館スタッフの方はヨコエビのようなマイナーな動物についても詳しい知識をもっているのかと感服した次第である。

ドロノミの仲間（分類学的にはドロノミ属）は世界中で六〇種以上が知られている大きなグルー

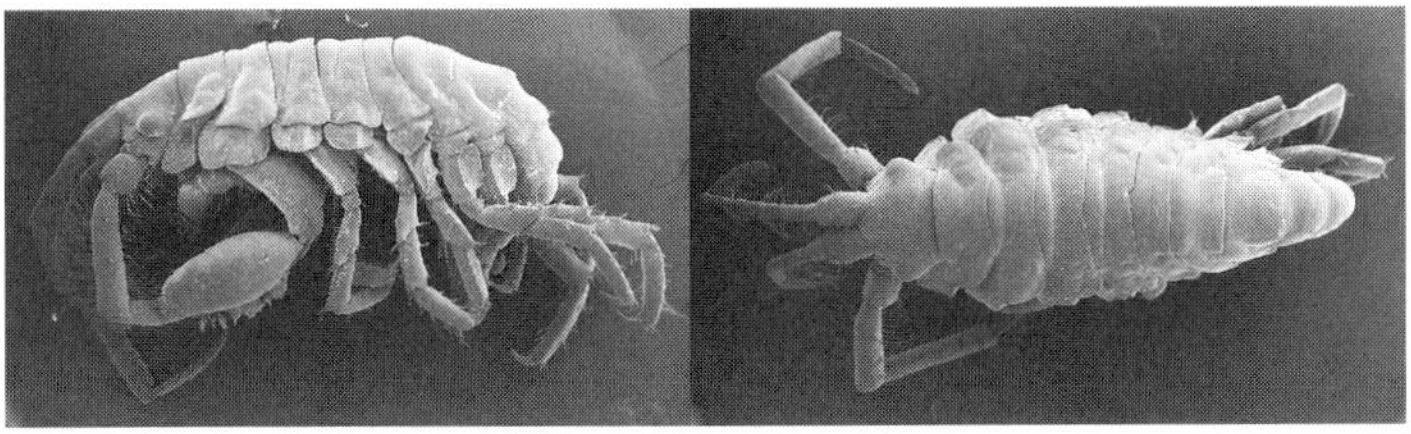

図Ⅱ-21　ジンベエドロノミの走査型電子顕微鏡写真。(左)体の左側面(体長6.0 mm)。(右)背面(体長5.1 mm)。Tomikawa et al. (2019) を改変。

プである。ジンベエザメの口の中からみつかった種を特定するためには、これら既知種のすべてと比較しなくてはならなかった。しかもこのグループについては、遺伝子データが公表されている種はほとんどなかった。そこで、ここでは伝統的な手法、つまり形態を詳細に観察して既知種と比較していくという手法を使って分類学的研究を行った。その結果、ジンベエザメからみつかった種はこれまで知られていたどの種とも異なる新種であることが分かったため、ジンベエザメにちなんで「ポドケルス・ジンベエ」、和名はジンベエドロノミと名づけた(Tomikawa et al. 2019)。それではなぜ、このヨコエビはジンベエザメの口の中で生息しているのだろうか。この疑問に対して正確にお答えすることは難しいが、現段階では次のような仮説を考えている。

ヨコエビの最大の天敵は、捕食者である小型の魚類である。そのためヨコエビはふつう隠蔽的な生活、つまり石の下や海藻の隙間などに隠れて生活をしている。左右に扁平な体はそういった隙間環境に潜むのに都合がよい。ドロノミの仲間も、多くの種は海藻に潜む隠蔽的な生活スタイルをもつ。加えて、ドロノミ類は濾過摂食といって、海中を漂う細かい有機物などを触角や脚に密生した剛毛をザルのように使って濾し取って食べる。そのため、水の流れがあり、かつ隠れ場所となる海藻が茂っている場所に好んで生息する。

いっぽう、ジンベエザメの口の中はというと、ヨコエビの天敵となる小型の魚類が入ってくることはない。またジンベエザメ自体が濾過摂食者であり、摂餌や呼吸のために常に口の中に海水が取り込まれる。つまり、ドロノミにとっては天敵が不在で、かつ餌となる有機物が絶え間なく供給される絶好の生息環境であると考えられる。

ドロノミの仲間は頑丈なカギ爪のある脚をもち、これで海藻をしっかりと把握するので、少々の流れならば流されることはない。ジンベエドロノミの脚もほかのドロノミの種と同じく、やはり頑丈な爪を備えていた。ジンベエドロノミは、この頑丈な爪でジンベエザメの口の中の「鰓は(さいは)」とよばれる部位にしっかりと付着していたのである。だからジンベエザメに食べられてしまうこともない。

ジンベエドロノミは、一生涯ジンベエザメの口に中で生活をしているのであろうか。本種の生活史はほとんど分かっていないため、これについては「分からない」とお答えせざるを得ない。ただ、ドロノミの仲間の中には、定期的に海藻から海水中に泳ぎ出て移動分散する行動(グルーミングという)が知られている。ジンベエドロノミもこのようなグルーミングの最中にたまたまジンベエザメに出会い、口の中に楽園を見出したのかもしれない。

一般的にヨコエビの仲間は移動分散能力が低く、それゆえに地域ごとに多様な種に分化しやすい。これに対し、例えば海面を漂う「流れ藻」に付着することで長距離にわたり分散したと考えられる種も知られている。ジンベエザメは、非常に長距離を回遊することが知られている。ジンベエドロノミはジンベエザメに付着することで、まるで新幹線に乗るようにジンベエザメとともに長い旅をしているのかもしれない。もし旅の途中、中継地でジンベエザメから「降車」することがあれば新たな場所に分布域を広げることになる。ヨコエビが、ジンベエザメを利用して分布を拡大しているとしたら夢のある話だ。ここでは、これを「新幹線仮説」と名づけたい。

4. ヨコエビの子育て

はじめに甲殻類の繁殖方法についてみてみよう。甲殻類には、産んだ卵を保護せずに水中に放出するものもいるが、育房の中に卵を産む、あるいは腹部で卵を抱えて、卵がふ化するまで保護するものも多い。

エビやカニの仲間の多くは、卵を腹部に抱く(クルマエビの仲間は抱卵せずに海水中に卵を産み落とす)。卵からふ化した幼生は、親とは大きく姿が異なる。この幼生は、水中を漂いながら脱皮を繰り返して成長する(浮遊幼生)。このように幼生時代をプランクトンとして過ごすため、海流な

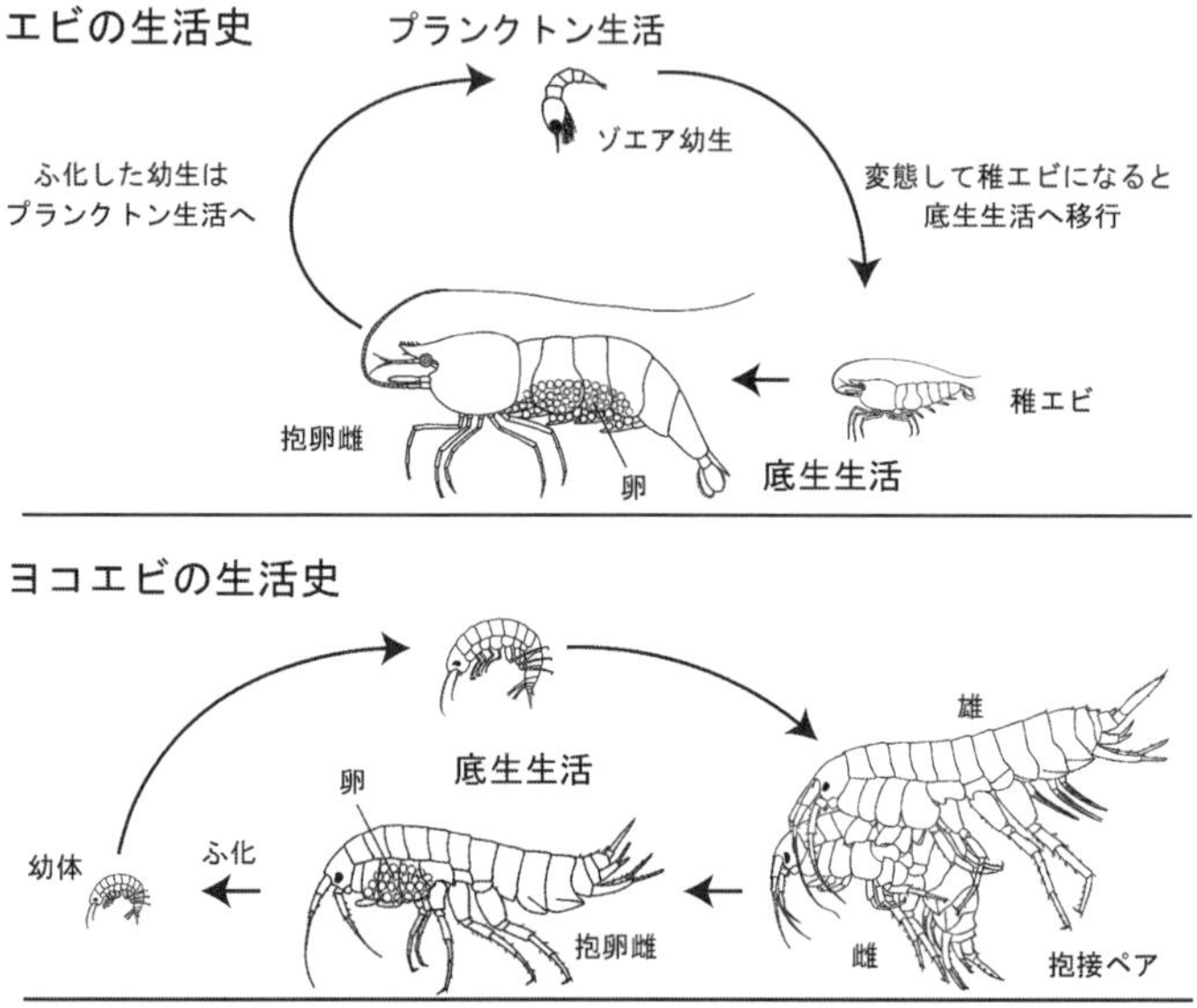

図Ⅱ-22　(上)エビの生活史。エビの仲間でもクルマエビ類の雌は抱卵せずに卵を水中に放出する。(下)ヨコエビの生活史。抱接ペアを形成しないグループもいる。

どに乗れば短期間に広い範囲に分散して分布域を広げることができる。ただし、幼生はほかの動物にとって格好の餌であるため、その生存率は極めて低く、成体になるまで生き残ることができるのはごくわずかである。「かわいい子には旅をさせよ」とはいうものの、現実は過酷である(図Ⅱ-22上)。

いっぽう、ヨコエビやダンゴムシは母親が胸の内側に育房をもち、そこで卵を保護する。すなわちエビやカニのように腹部で卵を抱えるのではなく、胸部で卵を抱いてもち運ぶのである。卵からふ化した子供は親とほぼ同じ形をしており、すぐに親と同じように底生生活をおくることができる（図II-22下）。種によっては、卵がふ化してからも、しばらくは雌親の保護を受けながら成長する。そのため、子供の死亡率はエビやカニと比べると低くなる。胸に育房をもつ甲殻類の仲間はフクロエビ類とよばれ、コアラやカンガルーなどの有袋類になぞらえて水中の有袋類とよべるかもしれない。フクロエビ類にはヨコエビやダンゴムシのほか、佃煮として食用にされるアミなども含まれる。このように、繁殖の方法もヨコエビとエビでは大きく異なる。ヨコエビはプランクトン生活を送る幼生段階を欠くため移動分散力は低く、地域ごとに独自の進化を遂げやすい。

大切なパートナーはがっちりキープ

甲殻類の雌の多くは、脱皮直後に卵を産む。そうすると雄にとっては、いかにして脱皮直前の雌を確保して交尾するか、ということが自分の子孫を残す上で重要な問題になる。そこで、ヨコエビの雄はさまざまな方法で交尾相手の雌の確保に努めている。

脱皮直前の雌を確保するためには、脱皮前からパートナーをがっちりとキープしておくのが一番確実な方法である。そこで、ある種のヨコエビは雌が脱皮するまで雄が抱きかかえる行動をとる。この行動を抱接という。

抱接行動をとるヨコエビの種は咬脚の性差が顕著であり、雄は大きな鈎爪のある太い咬脚をもつ。抱接する雄はこの発達した咬脚を使って雌をつかむが、どの咬脚を使って雌の体のどの部位をつかむか、それは種によって異なっている。ここでは、日本在来の淡水ヨコエビについて、どのような掴み方で抱接するのか紹介する。

止水や流れの緩やかな水中にすむキタヨコエビの仲間は、雄が左右の第一咬脚二本で、雌の左右どちらかの側面をつかむ(図II-23上)。キタヨコエビ類は、第一咬脚の方が第二咬脚より大きいので、大きい方の咬脚を使っている。雄はその爪を前方から順手で雌の第四胸節を、後方から逆手で第五胸節の側板をつかむ格好になっている。

渓流に生息するアゴナガヨコエビの仲間(ヤマトヨコエビ、タキヨコエビ)は、左右の第一、二咬脚四本すべてを使う(図II-23中)。雄は片側二本の咬脚の爪を前方から順手で雌の左右どちらかの第三胸節を、他方二本の爪を後方から逆手で正中線付近の第五胸節にひっかける。二本の咬脚で抱接するヨコエビが多い中、四本すべての咬脚でガッチリつかむ抱接は珍しく、渓流の流れに抵抗して雌をもち続ける力強さが感じられる。

水中を遊泳することがほとんどないニッポンヨコエビは、キタヨコエビ類と同様に、左右の第一咬脚二本で雌をつかむ(図II-23下)。ただし咬脚の大きさは、抱接に使っている第一咬脚と空いている第二咬脚でほぼ等しい。雄はその爪を前方から順手で雌の第一胸節を、後方から逆手で第五胸節をつかむが、どちらも正中線付近の位置で爪をひっかける。雄は雌の胸部五節もの幅を縦につかむため、左右の第一咬脚を目いっぱい開かなくてはならず、ひどくもちにくそうにみえる。しかし、この掴み方は、新旧両大陸でもみられ、北半球に広く分布し膨大な種数を擁するヨコエビ属（ニッポンヨコエビもこれに含まれる）に共通の特徴である可能性がある。

これらに共通している抱接の特徴は、雄が片側の咬脚を逆手にしていることである。抱接中の雌雄は体を並行にして移動するため、一見するともちにくそうな掴み方である。しかし雄は雌の一部を前後から挟むことにより保持し続ける力を節約することができ、また雄がそのまま左右の咬脚を並行

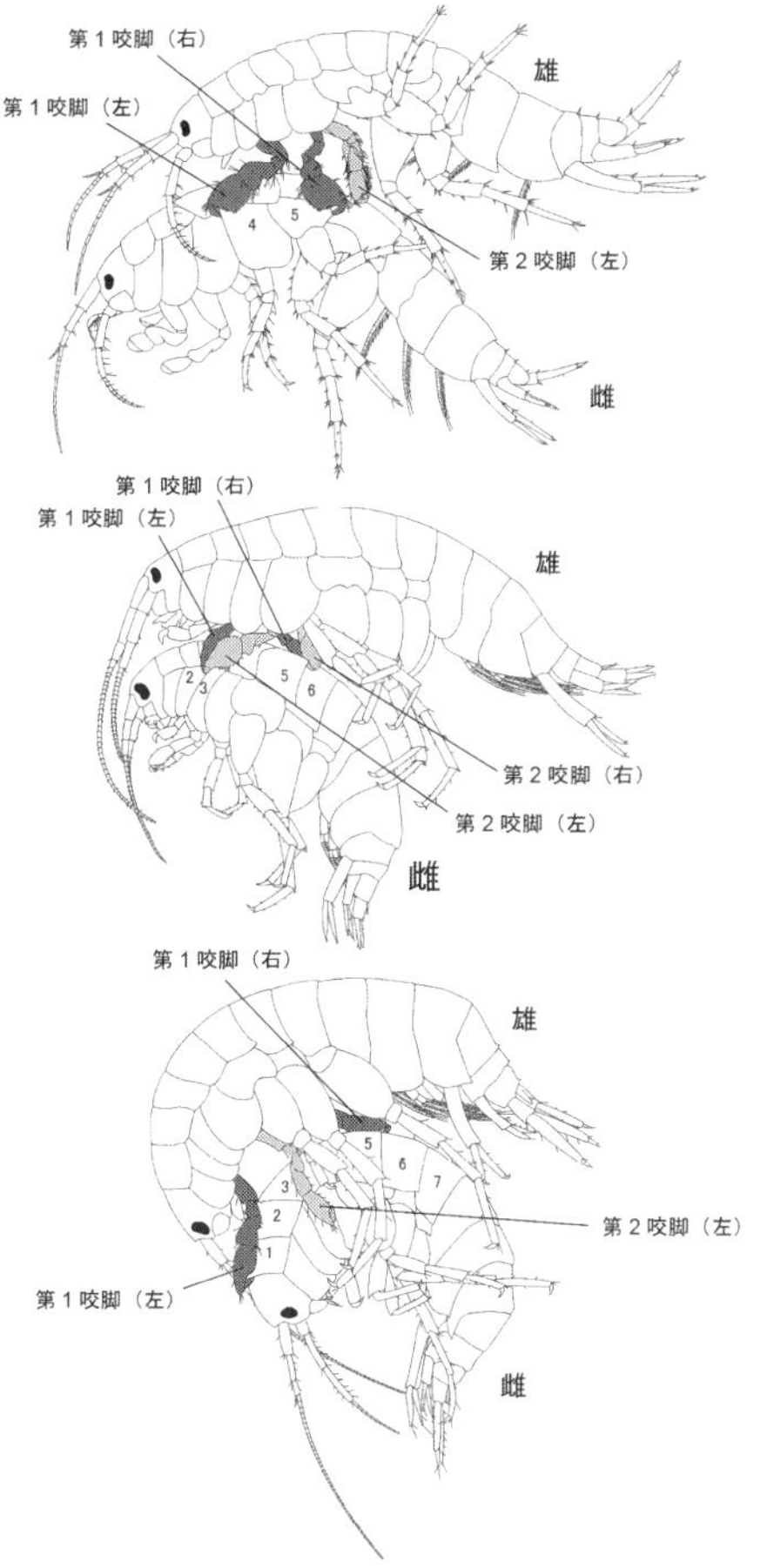

図Ⅱ-23　ヨコエビの抱接。（上）オオエゾヨコエビ（キタヨコエビ科）。（中）エゾヨコエビ（アゴナガヨコエビ科）。（下）ニッポンヨコエビ（ヨコエビ科）。図中の番号は胸部の節の番号を示す。上図と下図では雄の第2咬脚（右）を省略している。草野晴美氏作図。

にすると雌の体が九〇度の角度(横向き)になり、もち替えることなく交尾姿勢をとることができる。

弱い雄のスニーカー戦略

カマキリヨコエビというヨコエビがいる(図II-24)。雄は昆虫のカマキリのカマのような形をした立派な咬脚をもつことからこの名が付けられた。いっぽう、雌は雄に比べて体が小さく、雄のような立派なカマはもたない。興味深いことに、カマキリヨコエビは全ての雄が立派なカマをもつわけではない。カマキリヨコエビには同じ種の中でも、大きなカマをもつ大型の雄(メジャータイプ)と小さなカマをもの小型の雄(マイナータイプ)の二タイプの雄が存在するのである(図II-25)。そしてこれら二タイプの雄は繁殖行動も異なるのである(Conlan 1989)。

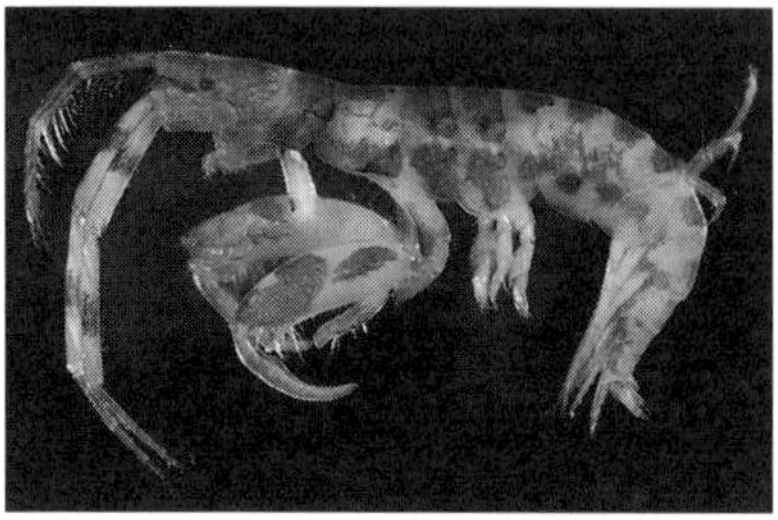

図II-24　ムシャカマキリヨコエビのエタノール固定標本。

カマキリヨコエビは、比較的波の強い場所に筒状の巣を作ってすむ。この巣は外敵や強い波から身を守る役割があるため、普段はこの巣を出ることはない(Borowsky 1985)。しかし繁殖期になると、雄は雌を求めて自分の巣を出る。大きなカマをもつメジャータイプの雄はお目当ての雌の巣にたどり着くと雌が脱皮するまで、ほかの雄が近づかないように監視の目を光らせる。

なぜならば、雌は脱皮直後の一～二時間の間でないと卵を産むことができないからである。この期間、もしほかの雄が近づこうものならば、監視雄はその大きなカマを振りかざして威嚇、ときには取っ組み合いをして撃退する(Kurdziel and Knowles 2002)。この争いでは、大型の雄ほど勝利する確率が高いらしい(Borowsky 1985)。

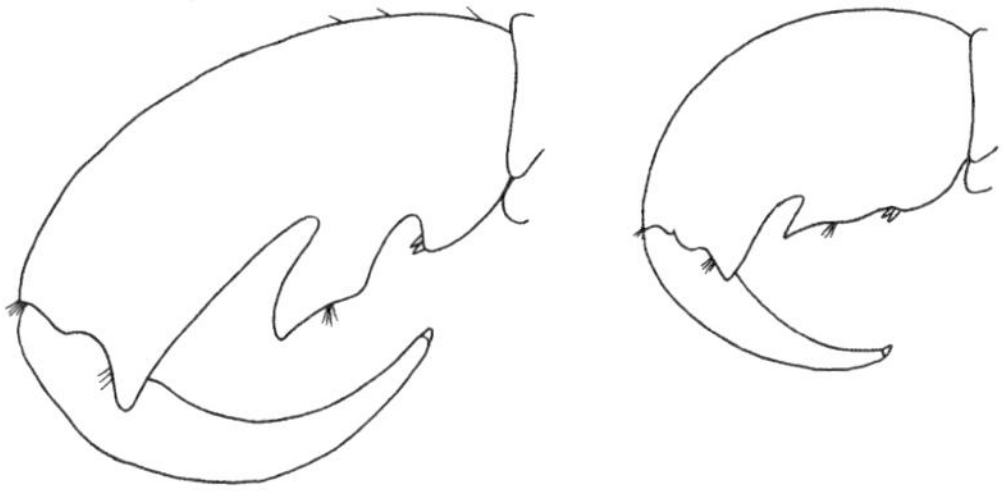

図Ⅱ-25　モリノカマキリヨコエビの雄にみられる咬脚(第２咬脚)の２タイプ。Conlan (1990) を参考に作図。

これでは小型のマイナータイプの雄に勝ち目はなさそうである。しかし、マイナー雄はしたたかな方法で雌を獲得するのである。体が小さくカマも大きく発達しないマイナータイプの雄は、みた目が雌に似ている。そのため、メジャー雄の監視の目をかいくぐって雌に接近することができるらしい。そして、まんまと雌と交尾して自らの子孫を残すのである。マイナー雄は一見すると雌を巡る闘争では不利と思われる体つきをうまく利用して、自分の子孫を残すことに成功しているのである。このように体の大きな、いわゆる強者の隙をついてこっそりと繁殖相手の異性を獲得することを「スニーカー戦略」とよぶ。

雌を探すのも命がけ

ヨコエビの中には、海底や海藻上に巣をつくって住んでいるものが多くいる。巣の中に潜むことで天敵である魚類から身を守っているのである。

ニッポンスガメはスガメヨコエビ類の一種で、本州中部以南の浅海に分布する（図II-4参照）。このニッポンスガメは、野外では雄と雌の比率が異なり、雄の数が極端に少ないことが知られている（須藤 一九八八）。なぜ雄は雌に比べて数が少ないのだろうか。

ニッポンスガメは、雄と雌が別の巣穴に住んでいる。そのため、雄は成熟すると自分の巣穴を出て、成熟雌を探しまわるのである。雌を探して自分の巣を離れた雄のことをクルージング・メールとよぶ。しかし、安全な巣穴の中とは違い、一歩巣穴から出れば捕食者が待ち受けている危険な海の中である。

特にニッポンスガメが恐れているのは魚類である。魚類は餌をみつけるのに主に視覚に頼っている。そこでニッポンスガメの雄は、少しでも天敵にみつかりにくい夜間に巣穴から泳ぎ出る。それでも、雌を探しに出た雄のうちかなりの数が魚類に食べられているらしい。野外では成熟した雄の個体数が雌に比べて極端に少ないのは、雌を求めて巣を飛び出したクルージング・メールの多くが捕食者の犠牲になっているためと考えられている（須藤 一九八八）。まさに命がけで雌を探しているのである。

母の苦労と献身

ヨコエビの雌は卵やふ化直後の子供を育房内で保護するが、このような母親ヨコエビは雄や抱卵していない雌よりも天敵のトゲウオ(魚類)やヤゴに襲われやすいことが知られている。これはアメリカの淡水域に生息するヨコエビの一種、ガマルス・プセウドリムナエウスで報告された例である(Lewis and Loch-Mally 2010)。

卵や子供を抱えたガマルス・プセウドリムナエウスの母親には、雄や抱卵・抱仔していない雌とは異なる行動的特徴がある。ひとつ目は、腹肢の運動量が多いことである。ヨコエビの腹肢は、遊泳時には水を後方にかいて前方方向への推進力を得るが、同時に体のまわりに水流を起こすことで、鰓に新鮮な水を送り込み呼吸を助けるという役割がある。そのため、泳がずにじっとしているときでも常に腹肢を動かしていなければならないのである。

卵や子供を抱えている雌は、自分自身の呼吸のためだけではなく、卵や子供のためにより多くの水を胸の育房内に送る必要がある。そうすると、必然的に腹肢をより強く動かして強い水流を起こさなくてはならない。しかし、腹肢を強く動かせばそれだけ天敵にみつかりやすくなる。水中では腹肢の運動にともなって生じた振動が天敵に伝わり、襲われやすくなるのだと考えられている。

卵や子供を抱えると母親は横になりたがらない、という行動的特徴もみられる。おそらく横になると腹面が横向きになり、育房内の卵や子供を捕食者にさらすことになってしまうため、母親は卵や子供を守るために水底を移動するときも腹部を下にした状態で縦になって歩くのだろうと考えられている。しかし、左右に扁平なヨコエビが縦歩きをすると、当然捕食者にみつかる危険性も高くなる。母親自身が捕食されてしまえば、子供たちも一緒に食べられてしまうのだから本末転倒である。

育房に卵や子供を抱えた雌は、雄や抱卵・抱仔していない雌と比較して体が左右に膨らみ、厚くなっている。母親があまり横にならないのは、子供たちを守るためというよりはむしろ、左右に膨らんだ体つきでは横になりにくいためかもしれない。

いずれにしても、ヨコエビの母親はこのような困難を乗り越えて、次世代を残すために生き抜いているのである。

ヨコエビは子食いを避ける

自然界では、ある個体が同種の他個体を食べる「共食い」という現象がよく知られている。特に、成体に比べて身を守ったり隠れたりする能力に劣る卵や幼体は、しばしば共食いのターゲットにされる。ヨコエビでも、成体が卵や幼体を襲って食べてしまうことが知られている。

前に述べたように、ヨコエビの雌は胸にある育房とよばれる空間に卵を産み、卵がふ化するまでここに抱えて保護する。そのため、ヨコエビの子供たちにとって卵から孵って初めて出会う大人、つまり同種の成体は母親である。それでは、子供たちは母親に食べられてしまわないのだろうか。

じつはヨコエビの雌は、胸に抱えた卵のふ化が近づくと、幼体を対象とした共食いの衝動が抑えられることが分かっている（Lewis et al. 2010）。つまり、母親にとって目の前の子供たちは共食いの対象にはなりにくいのである。

我々ヒトの心情的には、母の愛情により子供を食べるようなことをしない、と思いたいところだが、実際は自分の遺伝子を確実に次世代に伝えるために進化したメカニズムによるものだろう。

旅をするヨコエビ

多くの動物が一生の間にさまざまな旅をする。渡り鳥や回遊魚は、かなりの長距離を移動することが知られている。例えば、町中の軒下などに巣を作って子育てをするツバメは、夏になると南の国から日本に渡って来る渡り鳥で、夏が終わると再び南の国に帰っていく。川で生まれたサケは海に降り、日本を離れて北太平洋を回遊し、数年後に再び自分が生まれた川に戻ってきて産卵する。いっぽう、サナダムシは幼虫がサケやマスに寄生し、最終的にはヒトを含む哺乳類に寄生する。このように、宿主を渡り歩く寄生虫も特異な旅をしているといえる。

タキヨコエビは世界でも珍しい、旅するヨコエビである（図II-26）。タキヨコエビは、北海道およ

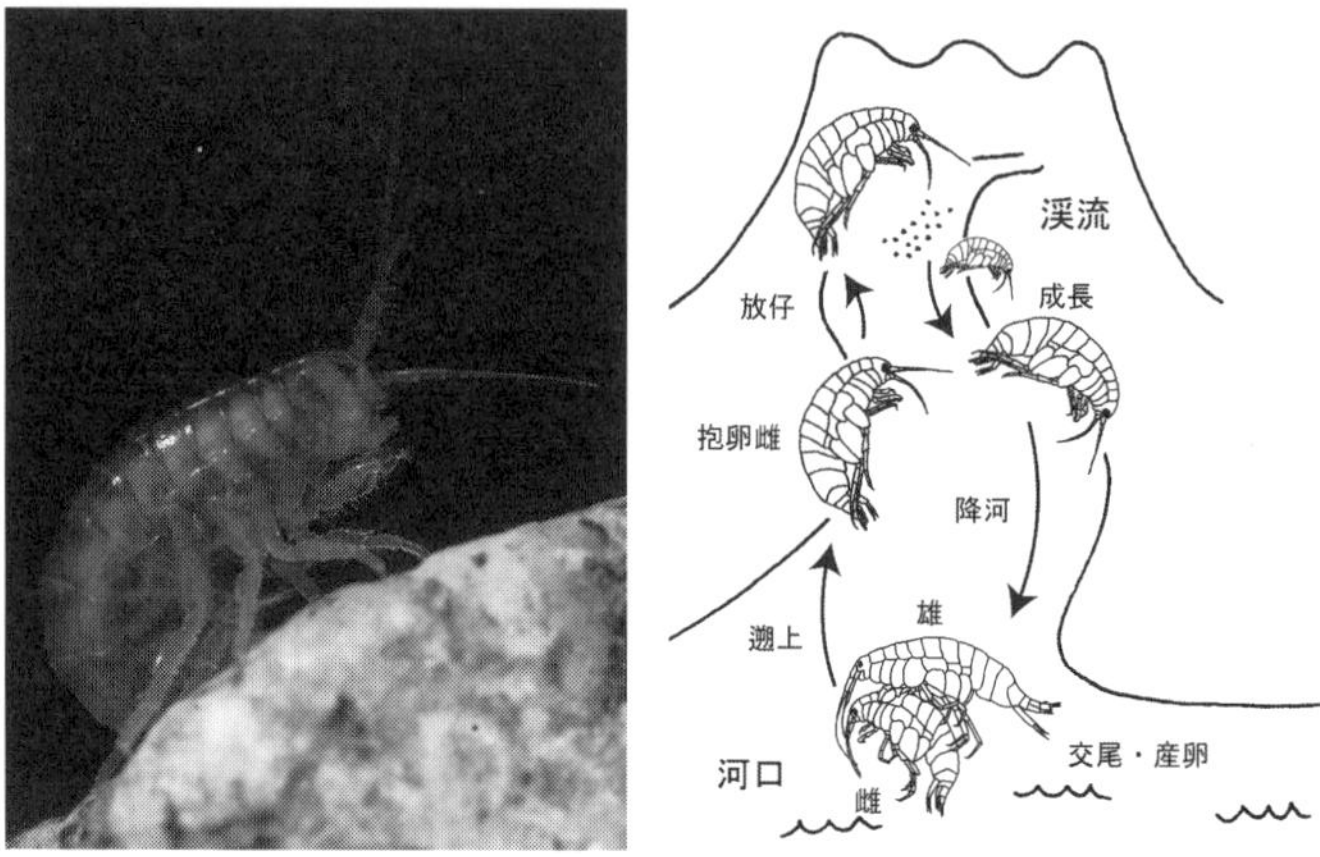

図Ⅱ-26　（左）タキヨコエビの生体写真。内山りゅう氏撮影。（右）タキヨコエビの生活史。成長した個体は川を降り、河口付近で交尾・産卵する。雌は卵を抱えて渓流を遡上する。ふ化した幼体は上流部で母親から離れ、渓流中で成長する。

び本州の日本海側や隠岐・五島列島などの離島に分布する。種名の「タキ」は滝の意味で、この種が、滝が直接海に流れ込むような海岸近くの渓流に生息することから名づけられた。タキヨコエビは冬から早春（本州では一〜三月、北海道では二〜四月）にかけて繁殖する。一般にヨコエビは一年以内で成体になり繁殖するが、タキヨコエビは一世代の完了に足掛け三年を要するもので、一年目の冬は幼体で、二年目の冬は成体で越し、三年目に繁殖する(Kuribayashi et al. 1996, 2006)。

　タキヨコエビの旅は一生のうちに一度だけ、繁殖のために生息場所である渓流を離れて海に降り、再びもとの渓流に戻ってくるというものである（図Ⅱ-26）。タキヨコエビは、繁殖期が近づくと雄と雌がともに海に向かって移動を開始する。川を降りながら、雄は雌を抱える抱接行動をとる。そして抱接したまま雄と雌は海を目指す。タキヨコエビのペアは、海の海水と川から流れ込む淡水が混じりあう汽水域までたどり着くとそこで交尾し、雌は産卵する。雄は交尾の後、もとの生息地に戻ることなく一生を終えるが、雌には最後の大仕事が残されているのである。それは卵を抱えて再び川を遡上することである。

タキヨコエビは、何らかの理由で汽水域でなければ産卵や受精ができないらしい。だが、ほとんど淡水環境に適応しているため、卵からふ化した子供は、淡水域でなければ生きていくことができない。そこで、母親は生まれ来る子供のために、卵を抱えたままもとの生息地の渓流まで戻らなくてはならないのである。しかし、川は勾配がきついため水の流れが速く、胸に卵をいっぱい抱えた母親が水中を泳いでさかのぼることは非常に難しい。そこで、タキヨコエビの母親は水底を歩いて遡上していく。流れが速い所では川から岸辺に上がり、水しぶきがかかるような川岸を歩いて上流を目指す。

大変な苦労をして渓流域にたどり着くと、しばらくして卵から子供のヨコエビがふ化する。ふ化した子供たちはしばらくの間母親の胸で保護されるが、やがて母親のもとを離れ、渓流の石や落ち葉の下で底生生活をはじめる。子供たちを渓流に連れて行くという大役を果たした母親は、子供たちのひとり立ちを見届けると静かにその一生を終えるのである。

「ワサビの食害」

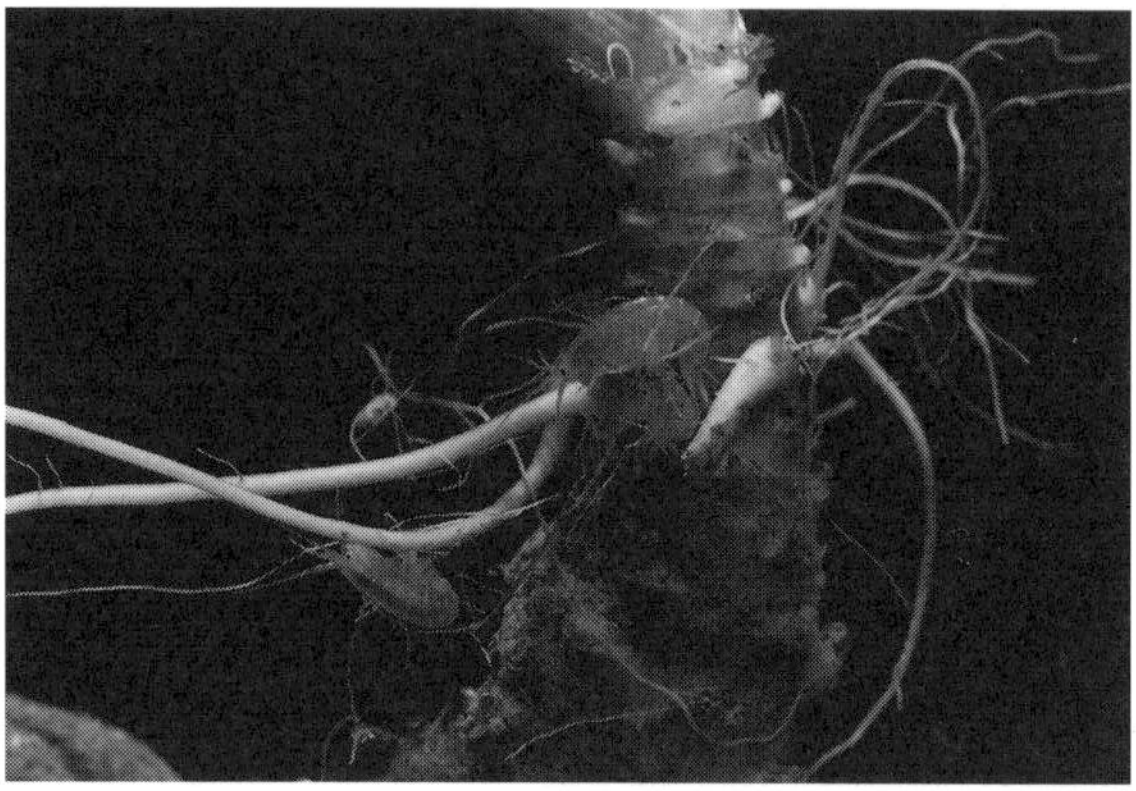

図Ⅱ-27　ワサビとニッポンヨコエビ。内山りゅう氏撮影。

　ワサビの水栽培は、主に湧水流で行われている。ヨコエビが好みそうな生息環境であり、実際昆虫や貝類と並んでしばしばヨコエビによるワサビへの食害が問題になっている。日本三大ワサビ産地のひとつ、島根県の状況をみてみよう。

　島根県のワサビ田は比較的傾斜のきつい渓流式であるが、湧水流の水量が少なく、腐葉が溜まりやすい。その腐葉に集まるニッポンヨコエビ(図Ⅱ-27)がワサビの根茎を齧って食痕を残し、商品価値を損なうという。場所によっては、最大加害生物になっている田もあるそうだ。

分解者、あるいは魚類の餌資源として地味な役割を担っていると思われたヨコエビが、ワサビのあの強い辛み成分を忌避せず、厄介者になっていたとは…。

こうした被害を受け、研究機関ではさまざまな防除方法を開発している。ワサビ田は湧水の源流域にあるため、下流への影響を考慮すると薬剤が使用できず、腐葉の除去、パイプ栽培、熱水駆除など副作用の少ない方法が検討されている。軋轢がうまく回避されることを祈るばかりである。

「サケの『サーモンピンク』はヨコエビ由来」

サケの身が鮮やかな赤色、つまりサーモンピンクであることはよく知られている。ところが、サケは白身魚で、もともとあのような鮮やかなサーモンピンクを呈しているわけではないことは、あまり知られていない。

じつはサケの身がサーモンピンクなのは、ヨコエビをはじめとする甲殻類に含まれているアスタキサンチンに由来するのである。アスタキサンチンとは天然に存在する赤橙色の色素で、近年はその抗酸化作用から健康食品や医薬・化粧品などに利用されている(川渕ほか 二〇〇七)。サケ類はヨコエビなどの甲殻類を好んで食べるためアスタキサンチンが摂取され、結果としてその身の色がサーモンピンクになるのである。

滋賀県に位置する琵琶湖は、日本最大の淡水湖である。琵琶湖は古代湖として知られており、形成年代は約四〇〇〜六〇〇万年前までさかのぼるという。古代湖とは、だいたい一〇万年以上の期間存続し続けている湖をいう。世界では約二〇の古代湖が確認されているが、琵琶湖はバイカル湖(ロシア東部)やタンガニーカ湖(アフリカ大陸東部)に次いで成立の古い湖である。琵琶湖には一〇〇〇種以上の動植物

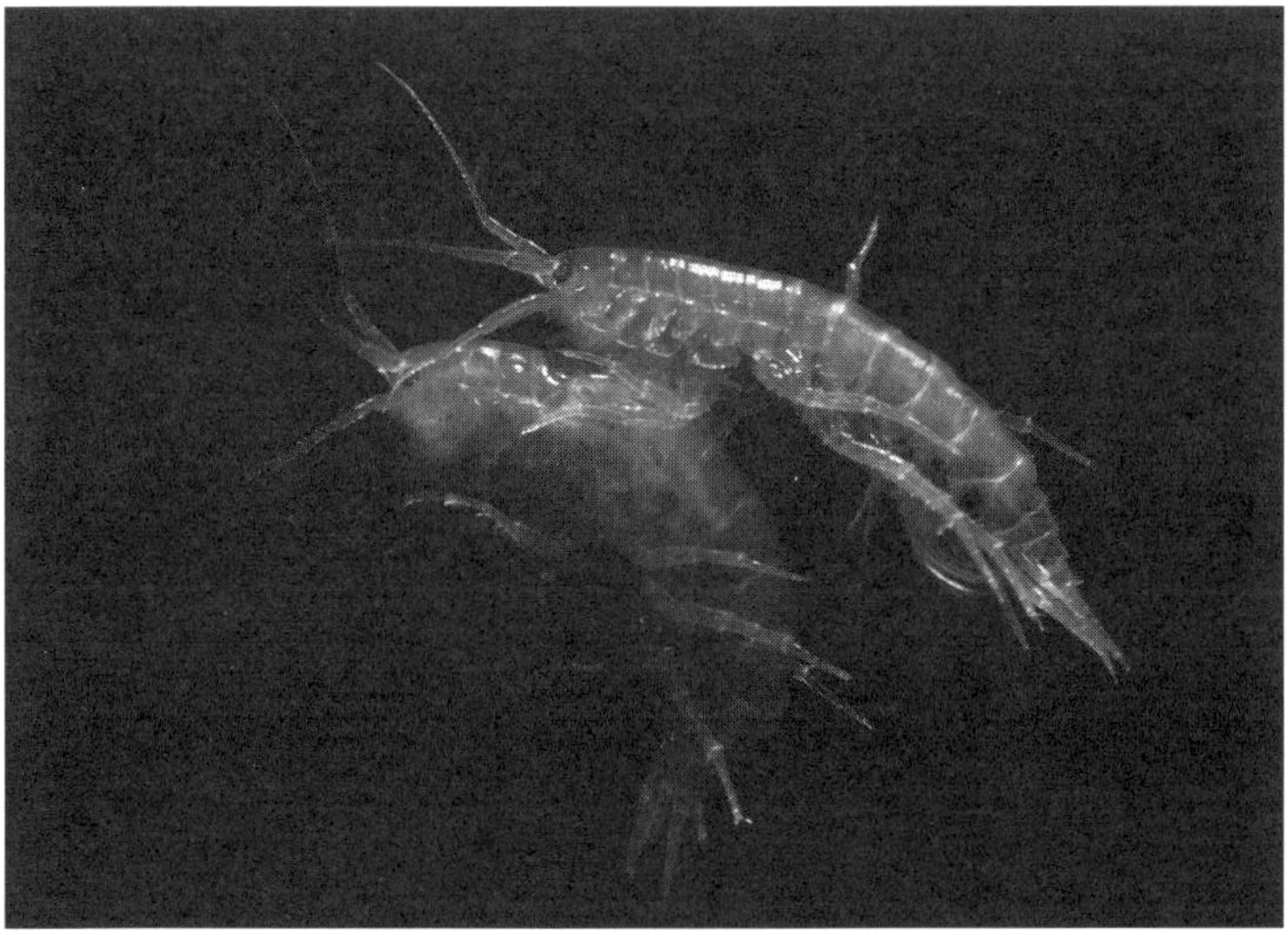

図Ⅱ-28　琵琶湖固有のアナンデールヨコエビの抱接ペア。ビワマスの主要な餌生物である。写真の上は雄で、下は雌。内山りゅう氏撮影。

が生息するが、成立から長い時間を経ているため琵琶湖にのみ分布する固有種も多く存在する。

ビワマスは、世界でもこの湖にしか分布しない貴重なサケ科の魚である。ふつうサケ科の魚類は川で産まれ、ある程度成長すると海を目指して降っていく。そして、栄養豊富な海で大きく育った後、産卵のために故郷の川に帰ってくるのである。産まれた川に戻ることを母川回帰という。いっぽうビワマスは淡水域で一生を過ごし、海に降りることはない。ビワマスの親魚は琵琶湖で生活しているが、産卵期になると琵琶湖に流入する川に遡上して産卵する。つまり、ビワマスは琵琶湖をほかのサケ科魚類でいうところの海のように利用しているのである。ビワマスにもほかのサケ科魚類同様、母川回帰本能が備わっていることが知られている（藤岡 二〇〇九）。

このビワマス、漁獲量がそれほど多くないため全国的には知名度が高いとはいえないが、大変美味しい魚である。そして、その身は美しいサーモンピンクである。ビワマスのサーモンピンクは、ほぼヨコエビに由来するといっても過言ではない。というのは、ビワマスはアナンデールヨコエビという琵琶湖固有のヨコエビ（図Ⅱ-28）を主要な餌としているからである。琵琶湖にはスジエビというエビの仲間（甲殻類）もたくさん生息しているが、ビワマスはなぜかスジエビには見向きもしないという（藤岡 二〇〇九）。

ビワマスの身の色は、年によって薄いオレンジ色から濃い紅色まで大きく変わるという。そして面白いことに、これはアユの生息量が大きく関係しているらしい。つまり、ビワマスはアナンデールヨコエビ以外にもアユを好んで食べるが、アユが少ない年はより多くのヨコエビを食べることになり、その結果、身の赤色が濃くなるのである（藤岡 二〇〇九）。

第3章

巨大化するヨコエビの謎

赤道付近の熱帯地域から高緯度地域に行くほど海産無脊椎動物の体サイズが大型化する現象は、古くから知られている。これは「極地巨大化現象」とよばれ、海綿、線虫、ヒモムシ、多毛類、ウミグモ、フジツボ類、貝形虫、カイアシ類、十脚類、ホヤ類など多くの動物で枚挙にいとまがない。ヨコエビでは、巨大種（あるグループの中で平均サイズの二倍以上の種）の割合は南極に分布する種の三一％、北極の種の二一％に達する。

無脊椎動物が巨大化する傾向は、深海域でもみられる。ヨコエビの場合、水深二五〇〇～六〇〇〇メートルの深海層に生息する種の八％、水深六〇〇〇メートルより深い超深海層の種の二九％は巨大種である。

いっぽう、淡水域ではシベリアのバイカル湖に巨大なヨコエビが出現する。

高緯度地域、バイカル湖、深海に共通する環境の特徴として、低温が挙げられる。寒冷な地域ほど体が大きくなる現象としては、哺乳類の例がよく知られている。例えばクマの場合、体サイズは熱帯に分布するマレーグマ、温帯に分布するツキノワグマ、温帯から寒帯に分布するヒグマ、そして北極付近に分布するホッキョクグマの順に大型化する。常に体温が一定に保たれる哺乳類は、体サイズを大きくすることで体積当たりの表面積の割合を低くし、熱が奪われることを防いでいるのである。この寒冷地適応は「ベルクマンの法則」とよばれる。

いっぽう、変温動物である無脊椎動物は体温を維持する必要はなく、高緯度地域や深海での大型化はベルクマンの法則では説明できない。それでは、なぜ巨大化現象が起こるのだろうか。

1. 南極の巨大ヨコエビ

南極海は南極大陸を取り囲むようなリング状の海であり、大西洋、インド洋、太平洋と接している。南極海と大西洋、インド洋、太平洋の南部はあわせて南大洋とよばれる。南極大陸には川が存在しないため、南極海への淡水の流入はなく、北極海とは違い塩濃度が低い海域は存在しない。南極大陸は、大陸中央部から海岸に向かってゆっくりと流れている南極氷床とよばれる厚い氷で覆われている。南極氷床は海岸から南極海にも張り出し、厚さ一〇〇メートルに達する巨大な氷の塊が海面に浮いている。

このように南極というと氷に覆われたイメージがあり、冷たい南極の海に多くの生物が生息しているとは想像できないかもしれない。しかし、地球規模で海流の動きをみてみると、北大西洋のノルウェー海で沈み込んだ海水が大西洋の深部を数百年かけてゆっくりと南下し、栄養分が豊富な海水が南極沿岸で湧き上がる。そのため、日照時間が長くなる夏季には、栄養分豊かな海水で植物プランクトンが爆発的に発生し、南極の生態系の生産性は大きく高まる。反対に、冬になって日照時間が極めて短くなると、植物プランクトンは姿を消し、植物プランクトンを食べる生物は餌がなくなってしまう。海に氷が張ると、太陽光はますます海中へ届かなくなる。そのため、南極の生物は冬の間、飢餓に堪えなくてはならない。こうして、南極では豊富な生物種を擁する独特の生態系が形成されているのである。

ヨコエビは南極の海洋生態系の主役といってよいだろう。南極の海では、ヨコエビが属するフクロエビ類の種数は一〇〇〇種にのぼり、多毛類（ゴカイの仲間）の六五〇種を大きくこえる(De Broyer and Jazdzewski 1996)。このうち、ヨコエビが四五一種（二六四属）と半数近くを占める。南極からは現在も毎年多数のヨコエビの新種が報告され続けており、最終的に研究が進めば二〇〇〇種に達すると予想されている(Bousfield 1979; De Broyer and Jazdzewski 1996)。南極におけるヨコエビの種多様性は驚くほど高いのである。

興味深いのは、それだけではない。南極には巨大なヨコエビが多く生息しているのである。ふつう、ヨコエビの体長は一センチメートル程度である。しかし、南極海からは体長八センチメートルにも及ぶヨロイヨコエビの仲間をはじめ、たくさんの大型種がみつかっている（口絵２）(d'Udekem and Verheye 2017)。なぜ、南極のヨコエビは大型なのだろうか。

一般的に代謝率が低いほど生物は長生きして、大きく成長することができる。また、代謝率が下がると基礎代謝の維持に必要なエネルギーを減らすことができ（成長効率を上げることで）体サイズの大型化が促進される。そのため、寒冷な極地では、変温動物である無脊椎動物は低温により代謝率が低下するために巨大化したと考えられてきた。しかし、ヨコエビの大きさと温度の関係を調べてみると、両者に相関関係は認められないことが明らかになってきた。つまり、ヨコエビの巨大化は、温度との関係では十分には説明できないのである。

そこで考え出されたのが、酸素濃度の影響である。ヨコエビは呼吸器官として胸部に五～六対の鰓（底節鰓）をもつ（図Ⅰ-17参照）。鰓は薄い袋状の構造で、内部に血液が流れている（図Ⅲ-1）。この血液には呼吸色素であるヘモシアニンが含まれていて、酸素の運搬に働く。鰓は酸素を能動的に吸い込むわけではなく、体内外における酸素の濃度勾配により取り込まれる。つまり、呼吸により酸素濃度の低下した体内に、酸素濃度の高い体外から酸素が流れ込むイメージである。また、ヨコエビのヘモシアニン濃度は、ほかの甲殻類と比べてかなり少なく、酸素の運搬効率は悪いらしい。そのため、酸素の取り込みには環境中にある程度の酸素濃度が必要であると考えられている。

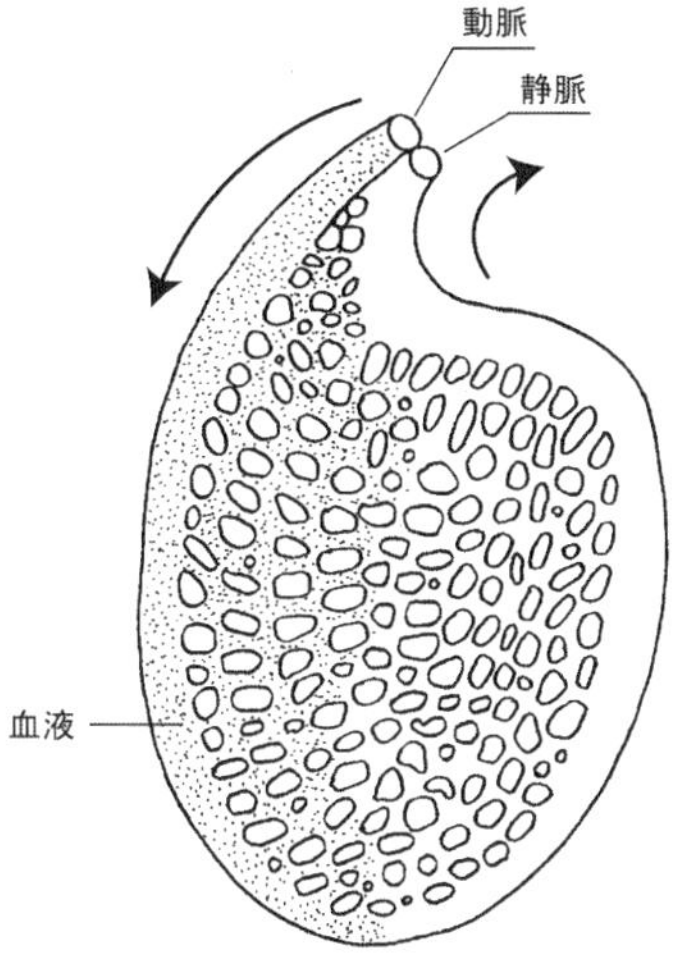

図Ⅲ-1　ヨコエビの鰓における血流。動脈から鰓に入った血液は鰓の中に網目状の通路を流れ、静脈へ出る。Schmitz (1992)を参考に作図。

体のサイズがどんどん大きくなると、

体の大きさに対する鰓の表面積の割合は小さくなっていく。そのため、もし環境中の酸素濃度が変わらずに体サイズだけが大きくなった場合、取り込まれる酸素の量が少ないために大型化した体の各組織まで十分に運ばれなくなってしまうだろう。このことから、ヨコエビのサイズは利用できる環境中の酸素濃度により、上限が決められていると考えることができる。

酸素は、温度が低いほどたくさん水に溶け込むことができる。南極の海水温は年間を通して低温であり、塩分を含むため水温は〇度以下まで下がる。そのため、熱帯域の海水の二倍近くの酸素が溶け込んでいる。南極周辺は、世界で最も溶存酸素量が多い海域なのである。酸素が豊富な南極の海では、ヨコエビは体を大きくしても体のすみずみまで十分に酸素を行きわたらせることができる。そのため、結果として南極に大型のヨコエビが多くみられるようになったのだろう。

捕食者や競合相手が少ないことも、巨大化や多様化に影響しているとみられている。南極の海は大型の捕食者が少ない。また、南極以外の海域ではエビやカニ、ヤドカリといった十脚類がヨコエビの競合相手となる。しかし、南極のミステリーとでもいうべきか、南極ではヤドカリ一種と底生棲のエビ類が数種いる以外には、十脚類はほとんどみられない。南極は周辺海域より水温が二〜三度低いため、低温に適応していない捕食者や競合相手の周辺海域からの侵入を防いでいるといわれている。かつて南極大陸はゴンドワナ大陸の一部であったが、やがてゴンドワナ大陸は分裂し、約二五〇〇万年前には独立した大陸となった。そして、南極を取り巻くように西から東へと流れる南極環流により、長期間にわたってほかの海域から地理的に隔離されてきた。このような長い地理的隔離も、ヨコエビの巨大化や多様化に重要な役割を果たしていると考えられている。実際、南極の海に生息するヨコエビの七八％は、南極でしかみられない固有種である。

2. バイカル湖にすむ巨大ヨコエビ

ロシアの南東部に位置するバイカル湖は、世界一の透明度、世界一の深度（水深一六〇〇メートル）、そして世界最古（三〇〇〇万年前）と三つの世界一を誇る巨大な湖である。そしてバイカル湖は、その透明度の高さから「シベリアの真珠」ともよばれる。

バイカル湖にはおよそ二五〇〇種の動物が知られており、そのうち五〇％以上がバイカル湖固有種というから驚きである（Timoshkin 1997）。バイカル湖内で種の多様性が高く、生物量も多い動物群は、カイメン、プラナリア、イトミミズ、巻貝、昆虫のトビケラやユスリカ、魚類のカジカ、そしてヨコエビである。

バイカル湖からは五一属二七〇種以上のヨコエビが確認されているが、これは世界の陸水に生息するヨコエビ約六〇〇種のうち、約四五％を占める（Takhteev et al. 2015）。そしてバイカル湖のヨコエビは、そのほとんどがバイカル湖固有種である。

図Ⅲ-2　バイカル湖のヨコエビ類。(左)アカントガンマルス・レイヘルティ(体長約50 mm)。(右)アカントガンマルス・ヴィクトリィ(体長約50 mm)。琵琶湖博物館での飼育個体。

バイカル湖のヨコエビを特徴付けるのは、背面などに棘や突起がさまざまな程度に発達した大型の種類である(図Ⅲ-2)。バイカル湖のヨコエビは約六〇種が体長三センチメートル以上、五種は七センチメートルをこえ、九センチメートルに達する巨大種もいる(Bazikalova 1945)。じつはバイカル湖のヨコエビは、南極のヨコエビより体サイズが大きいのである。

南極もバイカル湖も水温が低いという点は共通するが、南極は年間を通して水温が〇度以下であるのに対し、バイカル湖は深部でも〇度まで下がることはない。もしヨコエビの巨大化が低温によるものであれば、南極のヨコエビの方がバイカル湖のものより大型になりそうなものだが、実際はそうではない。これは、どのように説明できるだろうか。

酸素は、塩濃度が下がるほど水によく溶ける。同じ水温なら、淡水では海水の二五%多く溶ける。バイカル湖は世界で最も溶存酸素濃度の高い水域の一つなのである。しかも、ふつうの湖は水深が深くなるにつれて酸素濃度が低下し、水深が七〇～二〇〇メートルに達すると酸素がほとんどない嫌気的な環境になるところ、バイカル湖は最深部でも酸素濃度は高く、飽和量の七五％もある(Martin et al. 1998)。この事実は、ヨコエビの巨大化には、低温よりもむしろ高い酸素濃度が影響していることを示唆する。バイカル湖の高い酸素濃度が、巨大ヨコエビを育んできたのだろう。

バイカル湖には大型のヨコエビ以外に、胸肢などに多くの毛を備え、掘潜生活に適応した小型の種類も多く出現する。さらに特殊なものとして、浮遊生活に適応した種類や大型のヨコエビに外部寄生している種類も出現する。海産のヨコエビ類にも、浮遊生活や外部寄生生活に適応しているものがいるが、それらはバイカル湖の種類とは全く系統が異なっている。

バイカル湖は三〇〇〇万年という長い歴史をもち、湖底まで溶存酸素が豊富に存在するため、沿岸から深部まで湖のさまざまな環境に適応した多様な種が進化したと考えられている。さらに、バイカル湖には十脚類がほとんど存在しない。これは南極とも共通する特徴である。捕食者や競合相手となる十脚類を欠くことも、バイカル湖がヨコエビの楽園になった要因のひとつであろう。

3. 深海に巨大ヨコエビが潜む

地球は「水の惑星」とよばれるように、地球表面の約七〇％は海で覆われている。そして、容積でいえば全海洋の八〇％は、水深一〇〇〇メートル以上の深海である。

海洋では、海面に近いところに太陽の光が明るく差し込む。この光を利用して植物プランクトンが活発に光合成を行い、有機物をつくり成長・増殖する。光合成を行う植物プランクトンは生産者といわれ、これを餌にする小型甲殻類などの一次消費者、そして小型甲殻類を捕食する二次消費者の魚類といった具合に、光エネルギーを基礎とする生態系が成り立つ。

しかし水深二〇〇メートルをこえると、海中には光合成をするための十分な光が届かなくなるため、植物プランクトンは存在しない。ここでは消費者は、もはや植物プランクトンを餌として利用できない。そのため、マリンスノーとよばれる浅い海の生き物の死骸や排泄物由来の有機物を栄養源とする。さらに水深が深くなると、利用できる有機物も極端に減少するとともに、水温は低下し、水圧は著しく上昇する。例えば水深一〇〇〇メートルでは、水温は二～五度で水圧は一〇〇気圧、水深三〇〇〇メートル以上になると水温は一～二度まで下がり、水圧は三〇〇気圧をこえる。全海洋の最も深い場所は日本のはるか南東に位置するマリアナ海溝で、最深部は一〇九一一メートルといわれている。ここでは一平方メートルあたりおよそ一万トンの圧力がかかる。これはほ

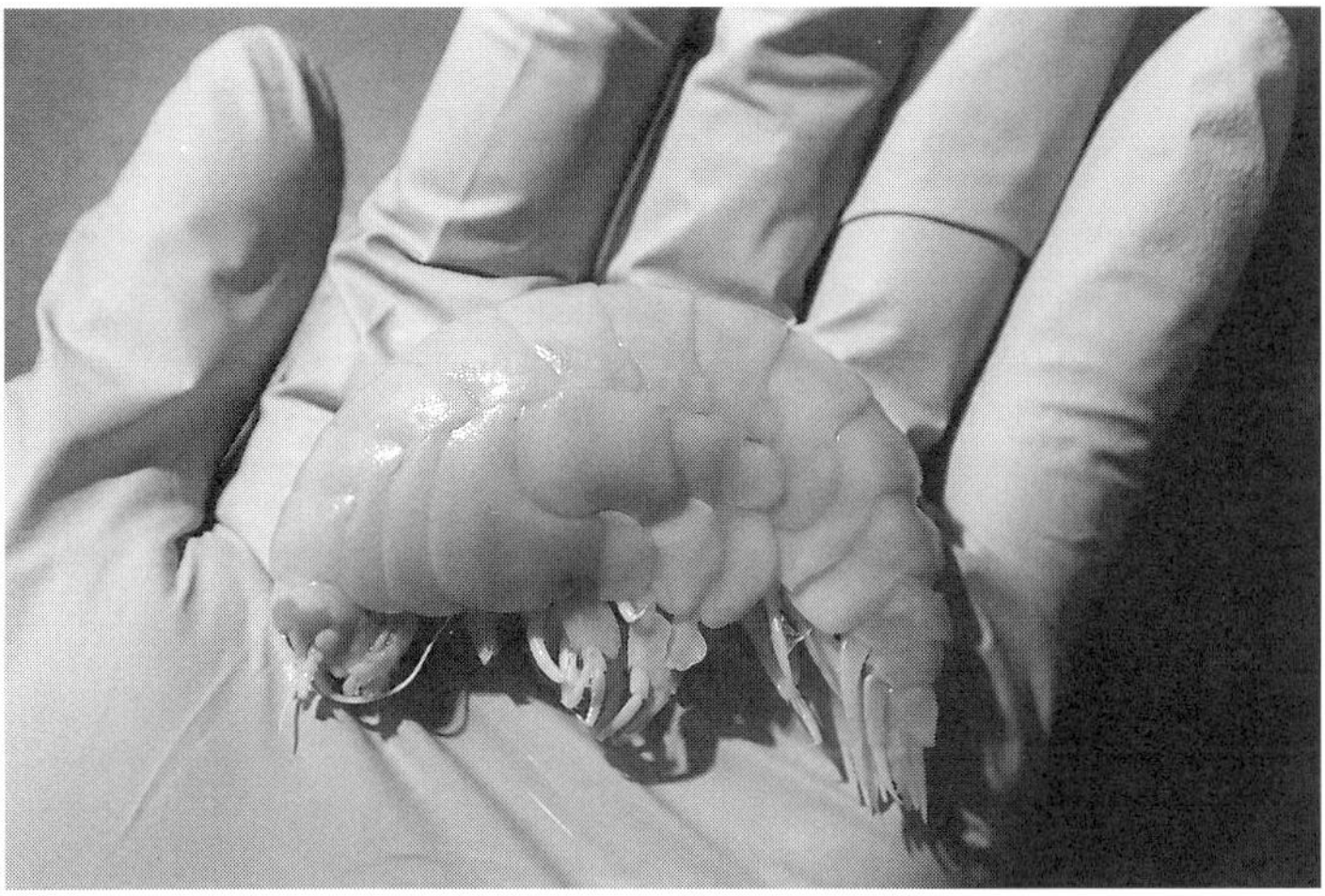

図Ⅲ-3　著者らが新種記載したオキソコエビ類の一種ヒロメオキソコエビ（体長約110 mm）のエタノール固定標本。オホーツク海の水深約1500 mに生息する。

ぼ東京タワー二・五個分と同じ重さである。

このように暗黒・低温・高圧という三拍子そろった過酷な深海環境は、おおよそ生物の生存に適しているとは思えない。しかし、さまざまな生物が深海環境に適応して生態系を築いているのである。そして、深海でも繁栄しているのがヨコエビである。

深海のヨコエビもまた巨大化することが知られている。実際、水深二五〇〇～六〇〇〇メートルの深海層に生息する種の八％、水深六〇〇〇メートルより深い超深海層の種の二九％は巨大種であるといわれている（De Broyer 1977）。この中でも深海を代表する大型のヨコエビは、オキソコエビ類とダイダラボッチである（図Ⅲ-3）。オキソコエビ類は体長一四センチメートル、ダイダラボッチは三四センチメートルにもなる巨大種である。なぜ彼らはこのように体サイズを大きくできたのだろうか。

オキソコエビ類やダイダラボッチは、体内に大量の脂肪を蓄えている。この脂肪は餌の少ない深海において、重要なエネルギー源となっている。また、彼らは深海底を浮遊しながら活発に泳ぎ回り餌を探すが、体内の脂肪はヨコエビに浮力を与えるため、浮遊・移動に重要な役割を担っている。

体内の脂肪の含有量が多くなると基礎代謝が著しく下がり、結果として酸素要求量も少なくなる。さらにオキソコエビ類とダイダラボッチは特殊な鰓の構造をもつ。すなわち、オキソコエビ類は鰓表面に折り畳みが生じ、ダイダラボッチは鰓に付属片をもつのである。これらは鰓の表面積を増加させ、より多くの酸素の取り込みを可能にすると考えられる。酸素要求量を減らすとともに酸素吸収効率を上げたことが、体サイズの大型化に重要な役割を果たしたのだろう。

深海のように餌資源の乏しい環境では、体を大型化することは高い遊泳力を獲得することにつながり、小型の種よりも餌を探し出す点で有利であることが考えられる。実際、オキソコエビ類は海底から一八〇〇メートル上まで遊泳できることが知られている。いっぽう、深海には体を小型化し、必要なエネルギーを抑えるために底生性でほとんど移動しない生活戦略をとる種もいる。

4．チチカカ湖の小さなヨコエビの大きな多様性

アンデスの山中にたたずむチチカカ湖は、古代より変わらず連綿と水をたたえてきた古代湖である。チチカカ湖はまた、先住民が聖地として崇めてきた場所でもある。ペルー南部とボリビア西部にまたがるこの古代湖は、標高三八一〇メートルという世界でも例のない高地に位置する湖である。標高三八一〇メートルというと、じつに富士山の山頂よりも高いことになる。

ヒトは標高が高い場所では呼吸が苦しくなるが、これは高地の低酸素環境に起因するものである。一般的に高度が高くなるほど大気圧が低下するため、肺で酸素が取り込みにくくなるのである。ひどくなると高山病を引き起こすこともある。

大気圧の低下は、水中の生き物にも大きな影響を与える。つまり、大気圧が低下すると酸素が水に溶け込む量が減少し、水中の溶存酸素の量が少なくなるのである。実際、チチカカ湖の溶存酸素量はバイカル湖の六〇％に満たない（Chapelle and Peck 2004）。

このチチカカ湖には、ヒアレラというヨコエビのグループが分布している（図Ⅲ-4）。ヒアレラの仲間は、北米と南米の主として淡水域に出現し、チチカカ湖からはこの湖に固有の種が一三種、そして南米一帯に広く分布する一種の合計一四種が記録されている（Adamowicz et al. 2018）。しかし、実際には種の多様性は著しく高く、研究が進めばチチカカ湖のヒアレラはかなりの種数に上ると予

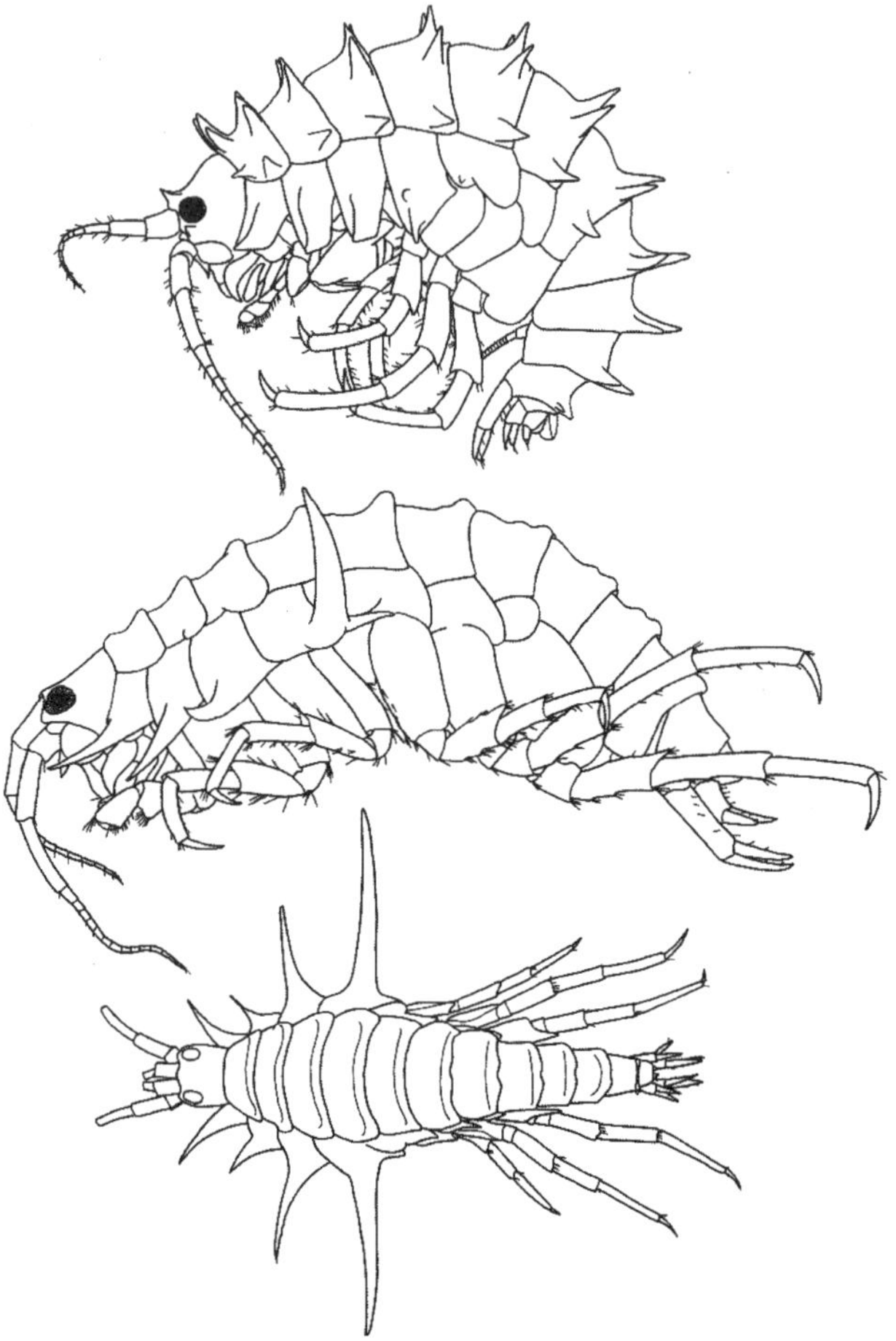

図Ⅲ-4　チチカカ湖のヒアレラ。(上)ヒアレラ・クローフォルディの左側面(体長9.5 mm)。(中)ヒアレラ・アルマータの左側面(体長9.5 mm)。(下)ヒアレラ・アルマータの背面。上図はColeman and Gonzalez (2006)、中・下図はGonzalez and Coleman (2002)を参考に作図。

想されている(Bousfield 1996; González and Watling 2003)。

チチカカ湖のヒアレラはどこからやって来たのか。ヒアレラの起源については、以前から多地域起源、つまりたったひとつの共通の祖先に由来するのではなく、複数の祖先種が独立にチチカカ湖に侵入し、種の多様化が生じたと考えられてきた。最近の分子系統解析も、この説を支持している(Adamowicz et al. 2018)。

さらに興味深いことに、チチカカ湖のヒアレラには主要な五つの系統が認められ、それらは一二〇〇万年〜二〇〇〇万年前に分化したらしいことも明らかになった。チチカカ湖が形成されたのがおよそ三〇〇万年前であるので、現在チチカカ湖に生息するヒアレラの祖先にあたる種は、チチカカ湖ができ上がる以前にすでに南米大陸に現れていたことになる。南米大陸に出現したこれら祖先種のうちのいくつかがチチカカ湖に侵入し、現在の多様性が形成されたのだろう。

さて、チチカカ湖に分布するヨコエビの特徴として、体サイズが小さいことが挙げられる。例えば、バイカル湖やカスピ海にみられるヨコエビの最大種とチチカカ湖の最大種のサイズを比較すると、チチカカ湖のヨコエビの大きさはほかの地域の半分から四分の一しかないことが報告されている(Peck and Chapelle 2003)。つまり、チチカカ湖では、ヨコエビが矮小化しているのである。チチカカ湖におけるヨコエビの矮小化も、酸素濃度とヨコエビの最大サイズに強い関係があることを示す証拠であると考えられている。すなわち、「チチカカ湖のヨコエビはなぜ小型化するのか？」という疑問に対して、低い溶存酸素量が体サイズの大型化を妨げていると説明できるのである。

チチカカ湖のヨコエビの中には、体に多数の突起を備える種がいる。このような突起をもつ種はバイカル湖にもみられる。両者はサイズこそ大きく異なるが、外見はよく似ているのである。この類似はどのように説明できるだろうか。バイカル湖では魚類のカジカがヨコエビの天敵である。しかし、体に突起をもつヨコエビはカジカに捕食されにくいらしい (Sideleva and Mekhanikova 1990)。また、バイカル湖のある種のヨコエビでは、体の側面の突起の成長速度は、体サイズが捕食者であるカジカの口のサイズに達するまで、体のほかのどの部分よりも早く成長することが報告されている (Bazikalova 1945)。これらのことから、チチカカ湖のヨコエビがもつ著しい体の突起は、天敵からの捕食を回避して生き残るために発達した進化の産物である可能性が高い。チチカカ湖とバイカル湖にみられるよく似た形態は、それぞれの湖で独自に進化したと考えられている (Adamowicz et al. 2018)。このような進化のことを収れん進化という。

「皇帝の温泉にすむヨコエビ」

一般に水の中にすむ生物にとって、高温の水は過酷な環境である。そのため、温泉という高温水環境から報告されている動物の数は限られている。いっぽう、高い温度環境に適応することで温泉にすむことができるようになった動物もいる。

癒し系動物として最近人気のクマムシの仲間には、オンセンクマムシという、いかにも温泉に生息していそうな名前の種がいる。長崎県雲仙温泉の古湯から報告されたオンセンクマムシは、しかし、発見以来まだ一度もみつかっていない。そのため、オンセンクマムシは実在しない幻の種ではないかと考える研究者も多い（野田一九九七）。

もっと信憑性の高い温泉動物をみてみよう。大分県の宝泉寺温泉や湯布院温泉、別府温泉には温泉にすむ唯一の貝類オンセンゴマミズツボが知られている（佐々木二〇〇二）。この貝がすむのは三六〜四五度の温泉水である。甲殻類の仲間では、マレーシアの温泉（湯温三八〜五八度）からみつかったイデユソコミジンコ（イデユは漢字で書くと出湯）やチュニジアの温泉（湯温三七度）にいるテルモスバエナの仲間、そし

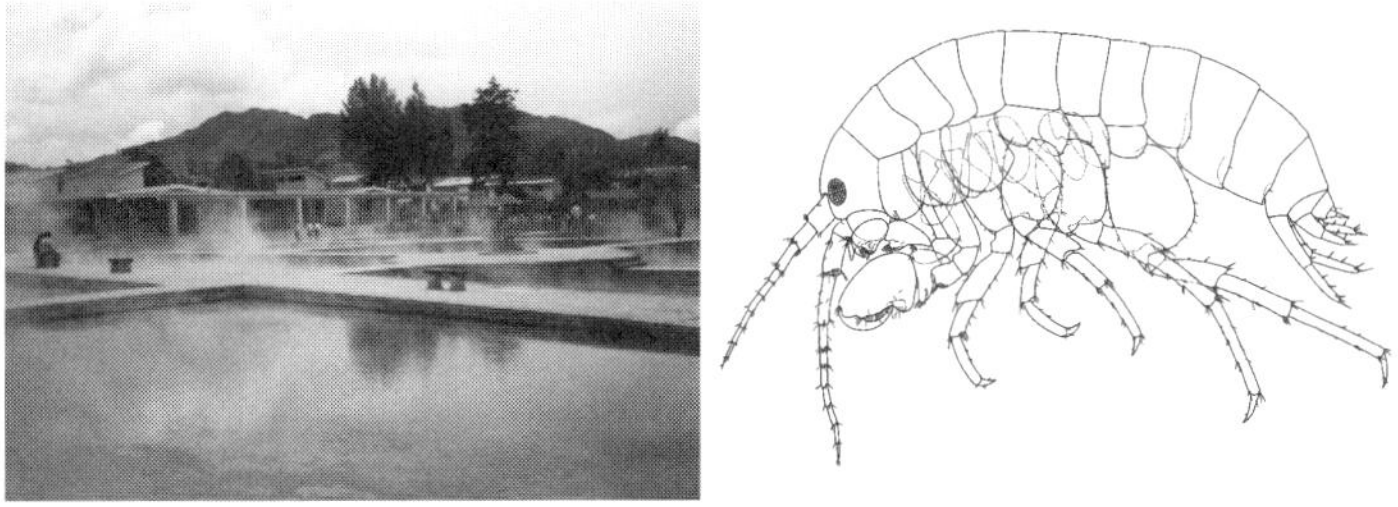

図Ⅲ-5　(左)温泉ヨコエビがすむインカの温泉の屋外プール(川崎義巳氏撮影)。
(右)インカの温泉に生息するヒアレラの一種(体長約4 mm)。

てコンゴの温泉(湯温五五度)にすむムカシエビの仲間などが知られている(伊藤 一九八五)。これら温泉動物に肩を並べる「熱いお湯」にすむヨコエビがいる。

ペルーの首都リマから北へ八〇〇キロメートルほどの位置にカハマルカという都市がある。ここはインカ帝国最後の皇帝アタワルパが、スペインのフランシスコ=ピサロに幽閉され、最終的に命を落とした地としても知られる。このカハマルカに「インカの温泉」(Baños del Inca)とよばれる温泉がある。アタワルパも愛用したと伝えられるこの温泉にヨコエビの仲間のヒアレラがすんでいる(図Ⅲ-5)。このヨコエビがすむのは「インカの温泉」の屋外温泉プールや温泉水が流れる小川で、驚くべきことに四〇~五〇度という高温のお湯の中を元気に泳ぎ回るという(川崎 二〇〇二)。このヨコエビの存在は地元の人にも知られており、古くから「神のエビ」「皇帝のエビ」などとよばれてきたらしい。ペルーでは切手の意匠にもなっている。

ヨコエビの仲間は基本的に冷たい水を好む。おそらく祖先が冷水に適応したためだと考えられるが、とにかく寒さにはめっぽう強い。一時的に氷の中に閉じ込められても、氷が解けるとまた元気に泳ぎだしたという記録もある(草野 二〇〇一)。いっぽう暑さには弱く、水温が四〇度をこえるような高温環境にすむ種は、ほかに知られていない。「インカの温泉」にすむヨコエビは世界でも珍しい、温泉という高温水にすむヨコエビなのである。

このヨコエビ、じつはまだ分類学的な研究が行われていないため、正体がよく分かっていない。現在、著者はペルーの研究者との共同研究により、このヨコエビの分類学的な位置を明らかにすべく研究を進めているところである。近い将来、「神のエビ」「皇帝のエビ」に正式な名前を与えたいと考えている。

第4章

ヨコエビを調べてみよう

ヨコエビについて調べてみたいと思ったら、さっそく身の回りのヨコエビを探して調べてみよう。ヨコエビはさまざまな環境に生息しているし、個体数も多いにもかかわらず研究例が非常に少ない。例えば、それぞれの種類がどこに分布するのか、何を食べて何に食べられるのか、どのように繁殖するのかといった基本的な情報もまだまだ十分には集まっていないのである。ちょっとした観察結果がじつは世界で初めての発見、ということも十分にありうる。個人での研究・観察はもちろんのこと、中学校や高等学校での課題研究やクラブ活動の題材として取り上げてみても色々な発見があって面白いだろう。

1. ヨコエビがみられる場所

たくさんの種類のヨコエビを観察したければ、海岸近くの潮間帯が最も適した場所だろう（図Ⅳ-1A）。観察には大きく潮が引く大潮のときがベストである。潮が引いて満潮時には海水中にあった海藻や岩が露出したら、ヨコエビ観察のチャンスだ。バケツなどの容器に海水を入れて、海藻を軽く洗ってみよう。多数のヨコエビが泳ぎだすだろう。岩をひっくり返すと、岩の裏で体を横にした状態で這いまわるヨコエビの姿もみることができる。

海岸に打ち上げられた海藻や流木、ゴミをみつけたらひっくり返してみよう（図Ⅳ-1B）。ハマ

図Ⅳ-1　ヨコエビがみられる場所。(A)海岸近くの潮間帯。干潮時が観察のチャンス。ヒゲナガヨコエビ類(写真)など多種多様なヨコエビが観察できる。(B)海岸に打ち上げられた海藻やゴミの下にはヒメハマトビムシ(写真)などハマトビムシ類が隠れている。(C)人間生活にもかかわりの深い湧水には、冷涼な水を好む淡水性ヨコエビが多くみられる。オオエゾヨコエビ(写真)は東日本の湧水を代表するヨコエビ。(D)洞窟内の水たまりには地下水性ヨコエビがみられる。写真のヨコエビはアカツカメクラヨコエビ。ヨコエビの写真は内山りゅう氏撮影。

トビムシの仲間が跳ねる様子が観察できるだろう。ハマトビムシの仲間は夜行性であるため、昼間は打ち上げ物の下や砂の中に隠れている。大型のハマトビムシを狙いたければ、打ち上げ物の下を掘って探してみるとよいかもしれない。

近くに海がないという人は淡水域を探してみよう。湧き水は淡水性ヨコエビが好んで生息する場所である(図Ⅳ-1C)。山間の渓流にもヨコエビがみられる。ヨコエビは渓流の本流にはあまりみられないので、本流に流れ込む小さな流れを探すとよいだろう。

森林に行ったら湿った落葉や倒木の下も探してみたい。上述のハマトビムシの仲間がみられるだろう。ただし、好みの環境にうるさいのか、どこにでもいるというわけではないため、根気よく探す必要がある。

洞窟を流れる地下水には、暗黒環境に適応したヨコエビがすむ。洞窟内で、水流がほとんどなく、水深は数センチメートルという浅い水たまりをみつけたらそっとのぞいてみよう(図Ⅳ-1D)。色素がなく真っ白な地下水性ヨコエビが、水たまりの底を歩き回っている様子をみることができるかもしれない。

2. 採集と飼育

ヨコエビの採集に出かけるときの基本的な準備物は、記録用のフィールドノートとカメラ、時計、採集地点を確認できるもの(地図やGPS)、長靴、温度計、ハンドネットなどの採集具、バット、サンプル瓶、クーラーボックスや固定用の薬品などである。

採集具は場所によって使い分ける。落ち葉や植物に付着しているヨコエビの採集にはハンドネットを用いるとよい。落ち葉をまるごとネットに採取してバットに張った水に出せば、小さな幼体の採り逃がしも少なく、同じ微小環境にいるほかの生き物についても知ることができる。

採取できない水生植物の場合は、ネット内で植物体を洗うようにしてヨコエビを採取する。砂礫に潜むヨコエビは、流水と止水で状況が異なる。流水の場合は砂礫を掻いて流下するヨコエビをハンドネットで受けることができる。

流れがほとんどない場合は砂礫ごと掬いあげるしかないが、ハンドネットでは弱いので、ステンレス製の頑丈な「かす揚げ」を使うと便利である。かす揚げの網目が粗いときは、「かす揚げ」に目の細かいネットを貼るとよい。

最も採集が困難なのは、ヨコエビが大きな礫岩の間隙に潜む場合である。特に波の荒い湖岸帯では、重い礫岩を動かすと同時にヨコエビが波にさらわれてしまう。定量化には向かない採集方法だが、大きな塩化ビニル製のピペット(長さ五〇センチメートルくらい)の先端をヨコエビが通る程度の太さに切り、礫岩の隙間を強く吸引する方法がある。

ヨコエビを生体のまま持ち帰るときは、クーラーボックスに入れて水温を低く保つ必要がある。現場で固定する場合は一〇%程度のホルマリン(ホルムアルデヒド水溶液)を用いるのが定番であるが、同時に生体やDNA解析サンプルを扱うときにはエタノール(形態観察用には七〇%、DNA解析用には九九%)の方が汚染の心配がなく安心である(ただし、長期保存する場合には後日ホルマリンで再固定した方がよい)。

ほかに、採集場所の水深や水域の広さによっては、胴長、腰紐つきバット(水面にバットを浮かせてもち歩く)、水中眼鏡(水底をのぞく)、長手袋などが必要なこともある。また必要に応じて、ヨコエビの生息環境を調べるための流速計、簡易pHメーターなどをもつ。

飼育のしやすさはヨコエビの種類や生息場所によって異なり、湖沼などの止水、低地河川、渓流、湧水源流および地下水の順に難しくなる(海産種については省略するが、基本的な取り扱い方は淡水産種と同様である)。

湖沼のヨコエビは、井戸水あるいは塩素をとばした汲み置き水道水でも飼える場合がある。餌として腐葉が使えるときは残餌を気にする必要もあまりなく、水温一〇~一五度で週に二回ほど水替えをすれば済む。

湧水源流や地下水で採れたヨコエビは、たいてい水にうるさい。採れた場所の水をポリタンクでもち帰って使う方が無難である。水質を維持する理想形は水を継続的に流しながら飼育する掛け流し法だが、採集地の近くでない限り水を流し続けることは困難であり、多くの場合は溜め水で飼わざるをえない。

さらに湧水や地下水での餌は腐葉でないことが多いので、餌として熱帯魚やザリガニ用の配合飼料を代用するが、残餌が水質を悪くするとヨコエビはあっけなく死んでしまう。結局、餌やりの後少し間をおいて水替えをする、という作業を毎日行なわねばならない。

水と餌の次に大事なポイントは温度管理である。これについても、水温変動の大きな湖沼や低地河川に生息していたものは一五度以下にしておけば死亡率は低く、それより多少水温が上がっても短期間なら大きなダメージはない。低水温に関しても、凍結しなければ、ほとんど問題ない（中には凍結耐性をもつ種すらある）。

いっぽう、湧水や地下水性のものは水温にもうるさい。北日本の湧水は七～一〇度、関東以西の湧水は一三～一五度が多いが、生息場所と同じ水温か、それよりやや低い温度を一定に保つ方が無難である。酸欠を防ぐためには容器の密閉を避け、水深を浅くして水表面積を大きくするのが手っ取り早い。酸素を供給するエアレーションや水の撹拌は、逆効果になることがある。ヨコエビは植物体や砂礫などの狭い間隙に付着して落ち着く性質があるため、体が絶えず動かされてしまうと体力を消耗して死んでしまう。

淡水性ヨコエビの多くの種類は、清水を必要とするいっぽうで汚濁の原因となる腐った有機物を食し、流れや波のある水域にすみながら狭い間隙に潜む。どちらも飼育には非常に不都合であるが、それがヨコエビの性質である。

3. 標本のつくり方

ここでは標本の作製方法について述べる。ヨコエビの種名を調べたり、分類学的な研究を行ったりするためには、標本を作製する必要がある。ヨコエビは付属肢が分類形質として重要であるため、解剖して付属肢を外し、プレパラート標本を作製する。標本作製方法については石丸(一九八五)に詳しく解説されているので、参考にすることを薦める。標本の作製と観察に必要な道具や試薬類を図Ⅳ-2に示す。

固定と保存

生物を化学薬品処理することで組織が腐敗しないようにすることを、固定とよぶ。ヨコエビの固定には、エタノールやホルマリンが使用される。どの固定液を使うかは目的によって異なる。同定や形態形質に基づく分類学的研究を目的とする場合は、七〇%エタノールや一〇%ホルマリンで固定をする。組織の固定力はエタノールよりホルマリンの方が優れているが、ホルマリン固定後は一度流水でホルマリンを抜いた後、七〇%エタノールに移して保存することが望ましい。ホルムアルデヒドの酸化により生じたギ酸は外骨格のカルシウムの結晶を侵食し、標本を劣化させてしまうことがある。そこで、あらかじめホルマリンに炭酸水素ナトリウム(重曹)などを加え

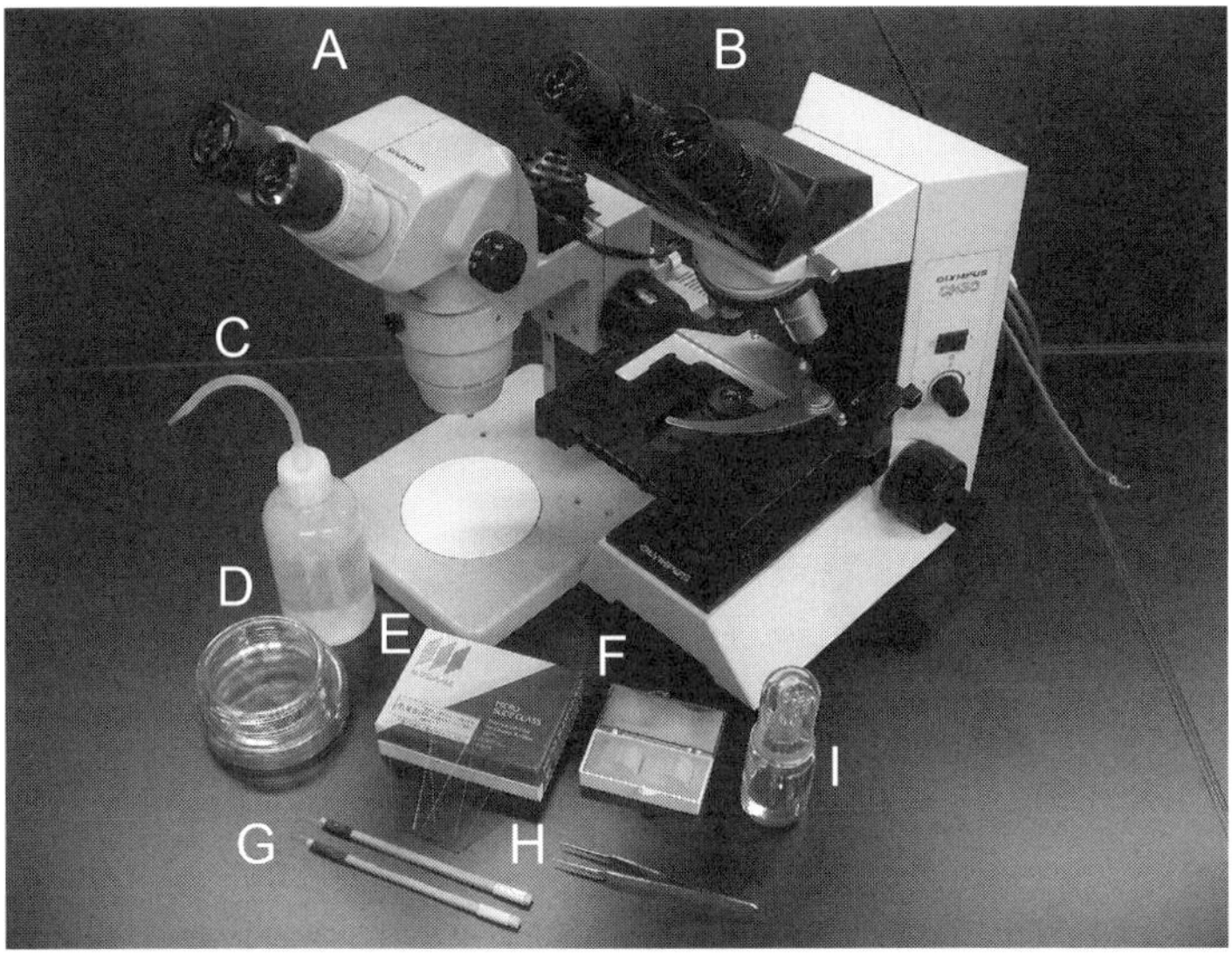

図Ⅳ-2　ヨコエビ類の標本作製と観察に必要な基本的な道具・試薬類。(A)実体顕微鏡。(B)光学顕微鏡。(C)蒸留水。(D)シャーレ。(E)スライドガラス。(F)カバーガラス。(G)柄付針。(H)ピンセット。(I)ガムクロラール液。

ておき、ギ酸が生じても中和できるようにしておくとよい。DNAの抽出を目的とする場合は、九九%エタノールで固定するのが望ましい。固定後、しばらくするとヨコエビの体内から水分が出てエタノールが薄まることがある。そのため、固定後は容器内のエタノールを数回交換するとよい。九九%エタノールで固定した標本は完全に脱水されるため付属肢が破損しやすくなるが、注意深く扱えば形態観察にも問題なく使用できる。液浸標本の保存容器としては、ガラス瓶が一般的である。筆者は、容量五〇ミリリットルの中蓋付スクリュー管を使用している。

エタノールで固定・保存すると生きていたときの色や模様が消失してしまうので、固定前に写真撮影などで記録しておくことが望ましい。ただし、ヨコエビでは色や模様はあまり種を見分けるための特徴として使われない。色彩などは死後短時間で消失してしまうため、分類形質として使いづらいためである。

解剖方法

解剖は、実体顕微鏡下で柄付針を用いて行う。柄付針は、割りばしの先に〇号の昆虫針を取り付けた自作品で十分である。柄付針は二本用意しておき、一本は針先を曲げてフック状にしておくと使いやすい。

さて、エタノールを入れたシャーレにヨコエビを置いたら、柄付針を使って付属肢を外していく。一方の針で体をおさえ、もう片方のフック状に曲げた針先を付属肢の基部にひっかけると外しやすい。第一触角から第三尾肢までの付属肢一九対すべてと、上唇、下唇、尾節板を外す。触角、咬脚、胸肢、腹肢、尾肢は左の付属肢を外し、それ以外の付属肢は左右両方を外す。腹節や尾節背面の構造が重要な分類群では、それぞれの節を剥がし、針先を用いて内側に付着した筋肉などを除く。

解剖は慣れないうちは大変難しく感じるが、何度も解剖を試みることで数ミリメートルの小型の種も確実に解剖できるようになるので、ともかく繰り返しの練習が肝要である。外部形態の詳細については後述する。

プレパラート標本の作製方法

付属肢などを外し終えたらスライドガラス上に封入剤で封入し、プレパラート標本を作成する。封入剤にはガムクロラール液を用いる。ガムクロラール液は蒸留水三〇ミリリットル、抱水クロラール三〇グラム、グリセリン二〇ミリリットル、アラビアゴム八グラムを混合して作製する。はじめに抱水クロラールを乳鉢ですりつぶし、アラビアゴム粉末を混ぜた後、ビーカーに移して蒸留水とグリセリンを加えて溶かす。湯煎しながら攪拌すると溶かしやすい。その後、一週間ほど静置するか遠心器にかけてゴミを沈殿させ、上澄みを使う。ガムクロラール液は時間が経つと水分が蒸発して粘度が高くなりすぎるため、適宜蒸留水を加えて調節するとよい。

付属肢は薄めた封入剤に一〇分程度浸してなじませてから封入すると、気泡が除けるため、きれいなプレパラート標本が作製できる。次にスライドガラス上に封入剤を適量とり、柄付針で付属肢を移す。実体顕微鏡下で付属肢の向きや位置を整えたら、カバーガラスをかける。このとき、封入剤がカバーガラスからはみ出すようであれば、滴下した封入剤の量が多すぎるため、量を減らした方がよい。

プレパラートに標本情報を記入し、封入剤がかたまるまで一か月ほど静置する。ホットプレートで六〇度くらいに温めることにより、この時間を短縮することができる。封入剤が完全にかたまったら、カバーガラスの縁を透明マニキュアで封じ、空気に触れないようにする。スライドガラスに封入しなかった胴体部分については、エタノールを入れたガラス瓶などに入れて保存する。

大型の個体の場合、付属肢などをグリセリンで封入した一時的なプレパラートを作成することもある。観察後の付属肢はガラスの小瓶などに入れて、エタノール中で保存する。

ラベル

作製した標本にはラベルをつける。ラベルとは、種名や採集データなどが記入された紙のことである。採集データは、採集地、採集年月日、採集者名を基本とし、標高や水温などを記入することもある。

液浸標本の場合、ラベル用紙は耐水紙を用いることが好ましい。油性インクはエタノール中で消えてしまうため、筆記具としては鉛筆や製図用のロットリングペンを使用する。プレパラート標本にもラベルを付ける。

プレパラートに貼り付けるラベル用紙としては、あらかじめ糊の付いているシール紙が使いやすい。プレパラートの数が多い場合は、ラベルをパソコンで作成すると便利である。

4. 種類を調べる

あなたの目の前に種類の分からない生物がいるとしよう。この生物が何であるかを確かめること、少し難しくいうと、ある個体が既存の分類体系のどこに位置するかを明らかにして種類を特定することを、同定という。同定は、外部形態に基づいて行われることがふつうである。そのため、ヨコエビの種類を調べようと思ったら外部形態について知っておく必要がある。

外部形態の基礎

ヨコエビの基本的な体の構造を図Ⅳ-3に示す。

体は多数の節(体節)に分かれており、外見から独立した節として認められるのは、前方から順に頭部、七節の胸節、三節の腹節、三節の尾節である。

頭部の先端は額角といい、ほとんど目立たないものから発達して大きく突出するものまでさまざまである。ヨコエビは眼もバラエティーに富んでいる。一般的には複数の小さな眼(個眼)が集まった複眼を二つもつが、クチバシソコエビの仲間などは頭部のてっぺんに一つだけ複眼をもち(図Ⅱ-10参照)、また地下水や深海性の種類などには全く眼を欠くものもいる。頭部の付属肢は、第一触角、第二触角、大顎、第一小顎、第二小顎の五対である。触角の基部数節(第一触角は三節、第二触角は

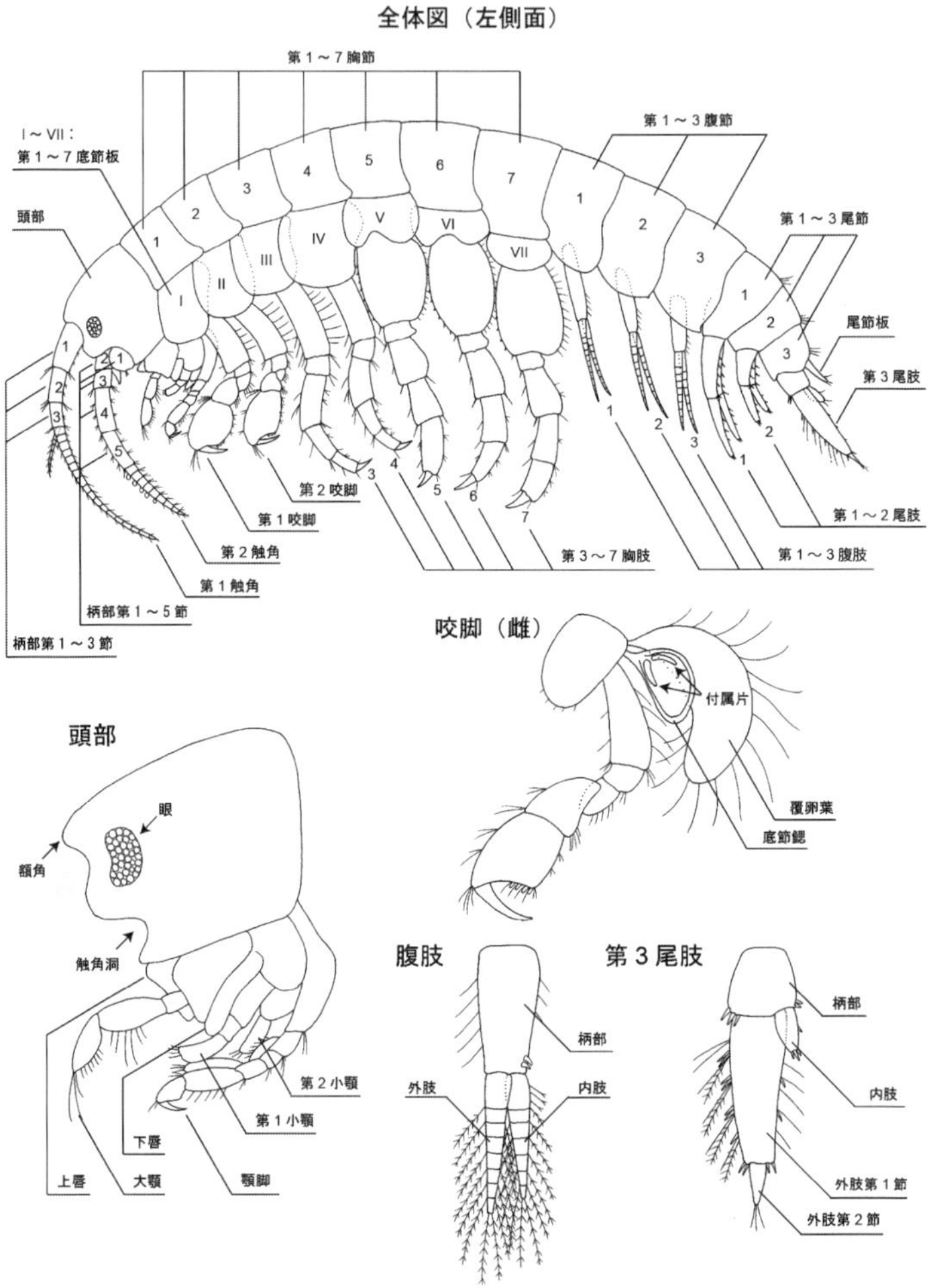

図Ⅳ- 3　ヨコエビ類の基本的な外部形態。

五節）は柄部、柄部より先の部分は鞭状部とよばれる。頭部の第二触角が付着する部分はさまざまな程度にへこみ、触角洞を形成する。第二触角と大顎の間には上唇、大顎と第一小顎の間には下唇とよばれる構造物があるが、これらは付属肢とはみなされていない。

胸節は七節あり、それぞれに一対の付属肢がある。付属肢は前方の二対を咬脚、後方の五対を胸肢という。咬脚と胸肢はそれぞれ七節からなるが、このうち最も体に近い節はさまざまな程度に拡がる板状になり、底節板とよばれる。咬脚や胸肢の基部（底節板の部分）には鰓（底節鰓という）があり、付属片をもつ種もいる。雌は咬脚や胸肢の底節板に覆卵葉が付く。

腹節は三節からなり、それぞれに一対の腹肢がある。腹肢は柄部、外肢、内肢からなるが、外肢と内肢は退化的になったり、これらを全く欠いたりすることもある。

尾節は三節からなり、各節には一対の尾肢がある。尾節はしばしば節が癒合するため、外見から三節が認められない場合がある。尾肢は柄部、内肢、外肢からなり、外肢は一節もしくは二節からなる。内肢と外肢を欠くこともある。

雄と雌の区別

ヨコエビの雄と雌を区別することは、特に同定の際に重要となる。ヨコエビには、性差がほとんどみられないものから顕著にみられるものまでさまざまあり、特に性差が大きいグループでは、雄と雌で同定に用いられる特徴が異なることもある。そのため、雌雄の判断を誤ると正確な同定が行えなくなることがあるので注意が必要である。

雄は、第七胸節の腹面に筒状もしくは小丘状の生殖突起をもつ(図Ⅳ-4)。生殖突起の先端は輸精管の開口部になっている。生殖突起が確認されれば雄と判断することができる。しかし、生殖突起は小さく目立たない場合もあるため、その有無の確認には注意されたい。

いっぽう、雌は第二咬脚から第五胸肢までの四対の付属肢の基部にある覆卵葉で卵を抱える(図Ⅳ-3)。そのため、抱卵や覆卵葉が確認されれば成熟した雌であることが分かる。雌は未成熟であっても未発達の覆卵葉をもつことがあるため、その存在から雌と判断することが可能である。注意すべきは、底節鰓を未発達の覆卵葉と誤って認識してしまわないことである。覆卵葉と底節鰓はどちらも胸肢の底節板内側に付着するが、前者は体軸側、後者は側面側に位置する(図Ⅰ-17・20参照)。

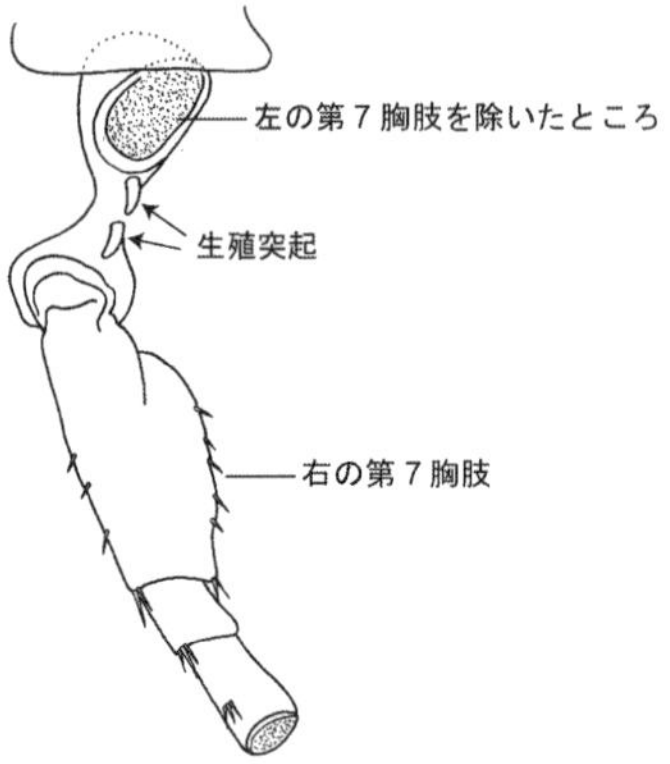

図Ⅳ-４　第７胸節を腹面からみたところ。

同定のための図鑑や文献

生物の種類を調べるためには図鑑類が役に立つ。残念ながらヨコエビが掲載されている図鑑は限られているが、次の図鑑が参考になるだろう。生息環境ごとに紹介したい。

①海産種

海産種について多くの種を扱っているのは、『ヨコエビガイドブック（海文堂、二〇二二）』である。本書には一四〇種がカラー写真付きで掲載されており、少数ながら淡水産種や陸産種も扱われている。特筆すべきは、日本産の全ての科への検索表が掲載されていることである。日本産のヨコエビ類について概観するためには、うってつけの書籍である。『原色検索日本海岸動物図鑑［Ⅱ］（保育社、一九九五年）』には、海産のグループについて、主要な科や属までの検索表が用意されており、同定には便利である。代表的な種についての記載や図版が掲載されている点も優れている。ただし、本書は現在絶版となっており、中古本も入手しづらい状況にある。『新装改訂フィールド版　写真で分かる磯の生き物図鑑（トンボ出版、二〇一六年）』は扱っている種は少ないものの、ヨコエビの基本的な形態について分かりやすくまとめられている。この図鑑には生体の美しい写真が掲載されているのも嬉しい。

②淡水産種

淡水に生息する種については『川村　日本淡水生物学（北隆館、一九八六年）』にまとめられている。しかし、本書の出版以降、多くの種が報告されている。また、現在では分類学的な所属が変更されいる種も多い。そのため、日本産淡水ヨコエビ類について二〇一二年時点で知られていた全種が扱われ、図解検索も提供されている論文(富川・森野二〇一二)を併せて参照されることをお勧めする。なお、『日本淡水生物学』は北隆館から復刻版が出されている。

③陸産種

陸域に生息するのはハマトビムシ科のみである。『日本産土壌動物　分類のための図解検索　第二版(東海大学出版会、二〇一五)』には日本産の全ての種が掲載されており、解説も充実している。また、分かりやすい形質を用いた図解の検索表が示されているため、種を調べるのに大変有用である。

図解検索表

検索表とは生物を同定する際に使われる表で、表中に示された特徴をたどっていくことで調べたい生物が何の仲間であるかが分かるものである。本書では、浅海や汽水、河川や湖沼など、多くの方にとってアクセスしやすい環境によくみられるヨコエビ類の検索表を作成した。なお、日本にはこれまで知られているだけで約四〇〇種のヨコエビがいる。これらを種まで同定することは容易ではない。そこで本書では「何の仲間か」まで調べることを目的として、科レベルの検索表を示す。同定に使われる形質や特徴を示す用語は初学者にとって必ずしも分かりやすいものではないかもしれない。そこで検索表に示したほとんどの特徴には図を付し、検索の手助けとなるようにした。

検索にはできるだけ解剖を必要としない、分かりやすい特徴を選んだ。しかし、実際にヨコエビを観察してみると付属肢が重なりあうなどの理由により、確認が難しい場合があるかもしれない。そのようなときは先の細いピンセットや柄付針を用いて付属肢を外したり、体節のところで体を切り分けたりといった操作を行うことで観察が容易になると思われる。

検索表は、「浅海や汽水域に生息する仲間」と「淡水域に生息する仲間」に分けて作成した。砂浜や森林土壌などの陸域に出現するのはハマトビムシ科のみである。ハマトビムシ科は基本的に陸棲であるが、しばしば水にも入るため、水棲種の調査をしているとハマトビムシ科が採集されることがある。

浅海や汽水域はヨコエビの多様性が高く、非常に多くの科が含まれる。そのため、ここでは日本でみられる代表的な科のみを紹介する。

淡水域に生息するヨコエビの種数は海産のヨコエビと比較すると数が少ない。そこで淡水産のものについては、これまでに日本から記録されている全ての科への検索表を作成した。ただし、ここではハマトビムシ科は含まれていないことに注意されたい。

日本の浅海や汽水域に生息する代表的な科への検索

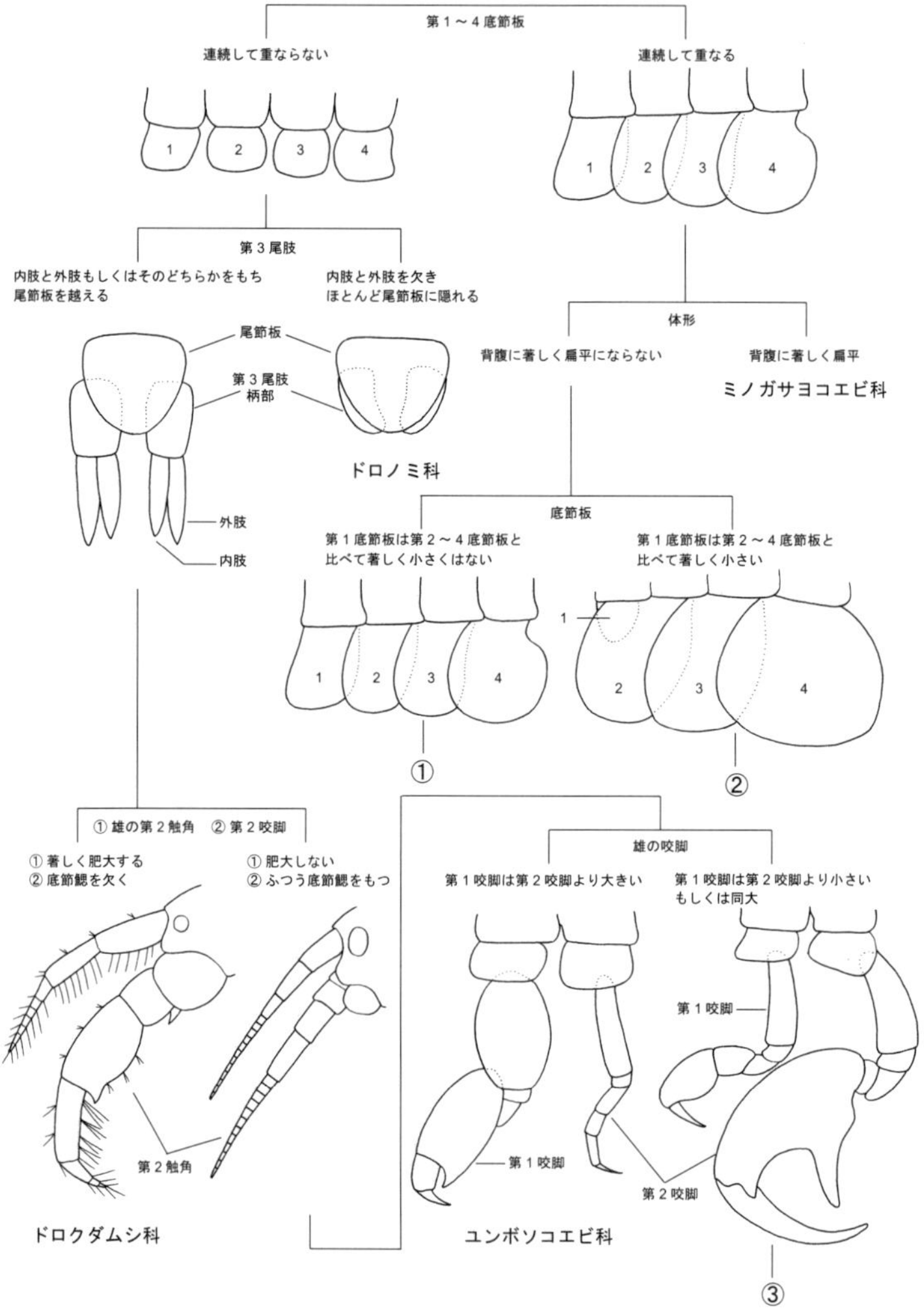
第1～4底節板
連続して重ならない
連続して重なる
1
2
3
4
第3尾肢
内肢と外肢もしくはそのどちらかをもち
尾節板を越える
内肢と外肢を欠き
ほとんど尾節板に隠れる
尾節板
第3尾肢
柄部
外肢
内肢
ドロノミ科
体形
背腹に著しく扁平にならない
背腹に著しく扁平
ミノガサヨコエビ科
底節板
第1底節板は第2～4底節板と
比べて著しく小さくはない
第1底節板は第2～4底節板と
比べて著しく小さい
①
②
① 雄の第2触角　② 第2咬脚
① 著しく肥大する
② 底節鰓を欠く
① 肥大しない
② ふつう底節鰓をもつ
第2触角
ドロクダムシ科
雄の咬脚
第1咬脚は第2咬脚より大きい
第1咬脚は第2咬脚より小さい
もしくは同大
第1咬脚
第2咬脚
ユンボソコエビ科
③

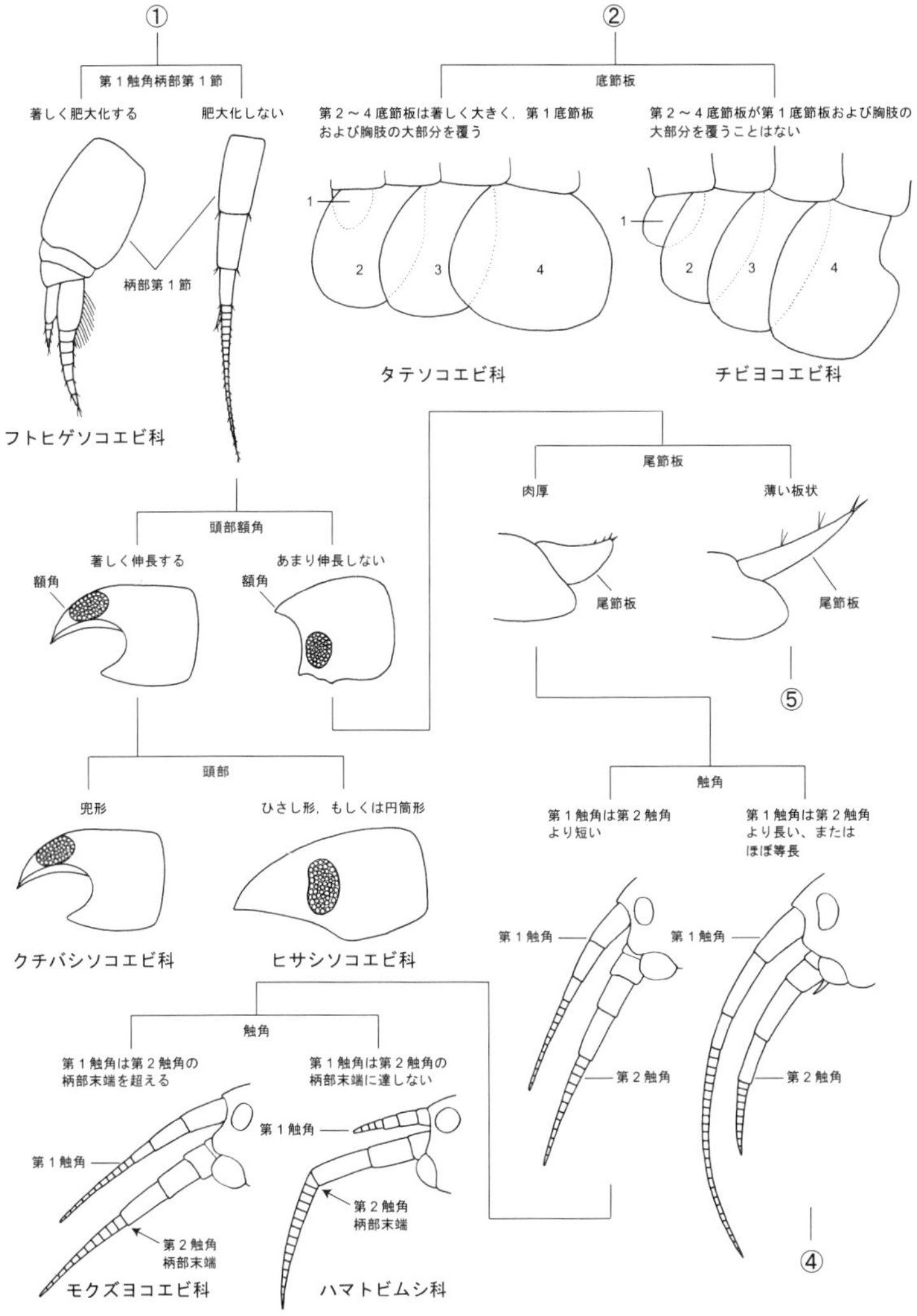
①
第１触角柄部第１節
著しく肥大化する
肥大化しない
柄部第１節
フトヒゲソコエビ科
②
底節板
第２～４底節板は著しく大きく，第１底節板および胸肢の大部分を覆う
第２～４底節板が第１底節板および胸肢の大部分を覆うことはない
1
2
3
4
タテソコエビ科
チビヨコエビ科
尾節板
肉厚
薄い板状
尾節板
⑤
頭部額角
著しく伸長する
あまり伸長しない
額角
頭部
兜形
ひさし形，もしくは円筒形
クチバシソコエビ科
ヒサシソコエビ科
触角
第１触角は第２触角より短い
第１触角は第２触角より長い、またはほぼ等長
第１触角
第２触角
④
第１触角は第２触角の柄部末端を超える
第１触角は第２触角の柄部末端に達しない
第２触角柄部末端
モクズヨコエビ科
ハマトビムシ科

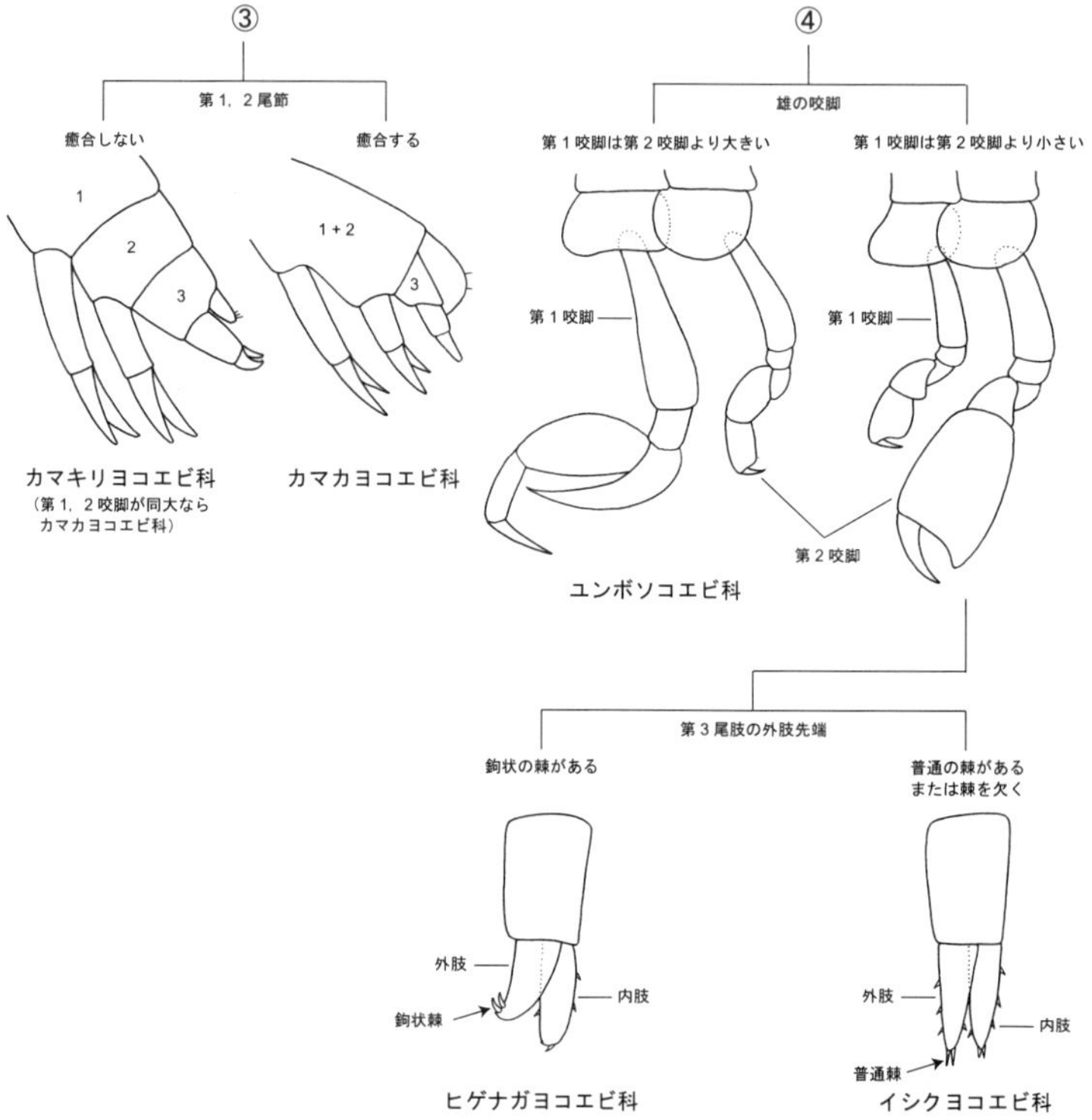
③
第 1，2 尾節
癒合しない
癒合する
1
2
3
1 + 2
3
カマキリヨコエビ科
（第 1，2 咬脚が同大なら
カマカヨコエビ科）
カマカヨコエビ科
④
雄の咬脚
第 1 咬脚は第 2 咬脚より大きい
第 1 咬脚は第 2 咬脚より小さい
第 1 咬脚
第 1 咬脚
第 2 咬脚
ユンボソコエビ科
第 3 尾肢の外肢先端
鉤状の棘がある
普通の棘がある
または棘を欠く
外肢
鉤状棘
内肢
外肢
内肢
普通棘
ヒゲナガヨコエビ科
イシクヨコエビ科

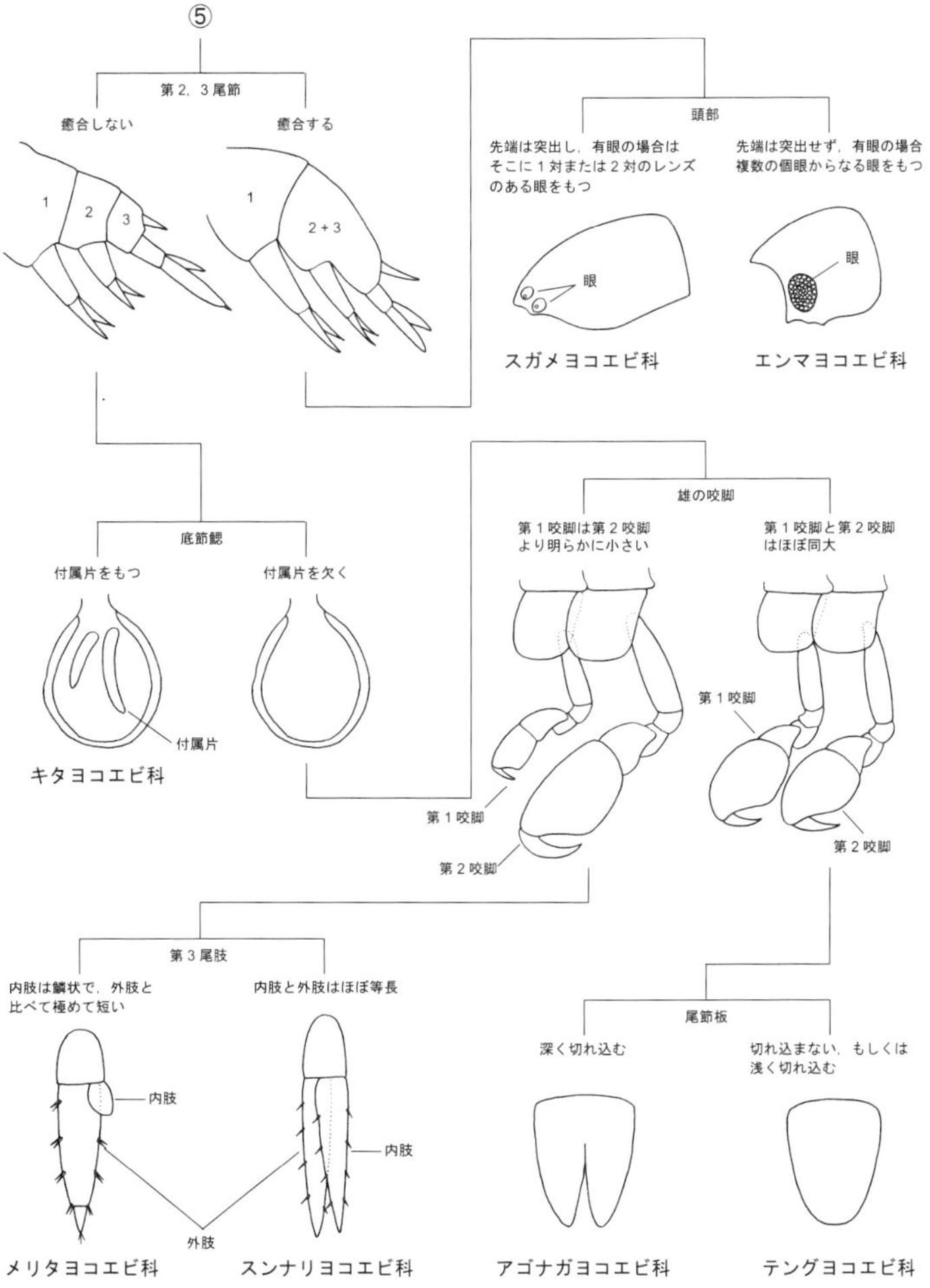
⑤
第 2，3 尾節
癒合しない
癒合する
1
2
3
1
2 + 3
頭部
先端は突出し，有眼の場合は
そこに 1 対または 2 対のレンズ
のある眼をもつ
先端は突出せず，有眼の場合
複数の個眼からなる眼をもつ
眼
眼
スガメヨコエビ科
エンマヨコエビ科
底節鰓
付属片をもつ
付属片を欠く
付属片
キタヨコエビ科
雄の咬脚
第 1 咬脚は第 2 咬脚
より明らかに小さい
第 1 咬脚と第 2 咬脚
はほぼ同大
第 1 咬脚
第 2 咬脚
第 1 咬脚
第 2 咬脚
第 3 尾肢
内肢は鱗状で，外肢と
比べて極めて短い
内肢と外肢はほぼ等長
内肢
内肢
外肢
メリタヨコエビ科
スンナリヨコエビ科
尾節板
深く切れ込む
切れ込まない，もしくは
浅く切れ込む
アゴナガヨコエビ科
テングヨコエビ科

日本の淡水域に生息する全ての科への検索

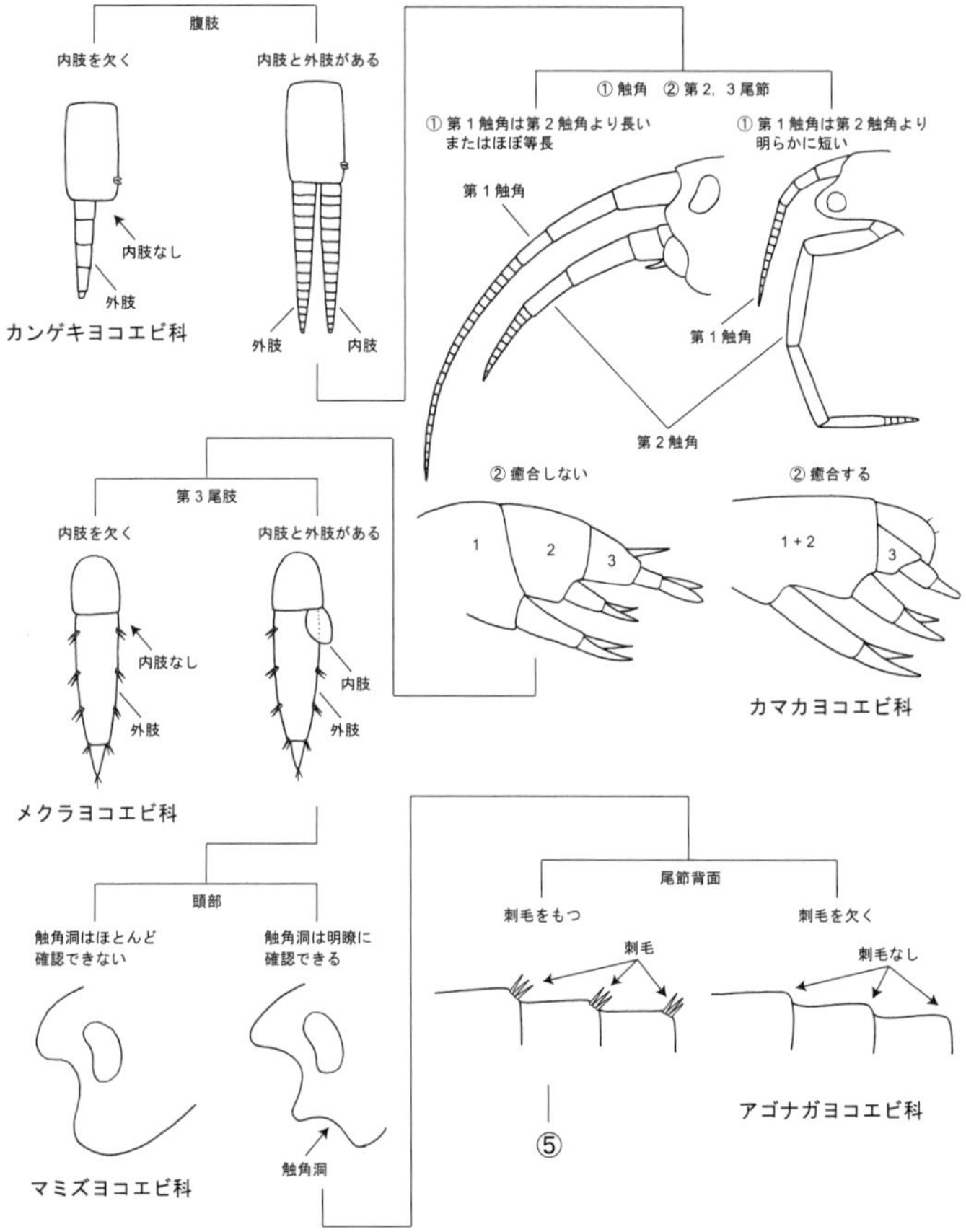
腹肢
内肢を欠く
内肢と外肢がある
内肢なし
外肢
内肢
カンゲキヨコエビ科
① 触角　② 第 2，3 尾節
① 第 1 触角は第 2 触角より長い
またはほぼ等長
① 第 1 触角は第 2 触角より
明らかに短い
第 1 触角
第 2 触角
② 癒合しない
② 癒合する
1
2
3
1 + 2
カマカヨコエビ科
第 3 尾肢
メクラヨコエビ科
頭部
触角洞はほとんど
確認できない
触角洞は明瞭に
確認できる
触角洞
マミズヨコエビ科
尾節背面
刺毛をもつ
刺毛を欠く
刺毛
刺毛なし
⑤
アゴナガヨコエビ科

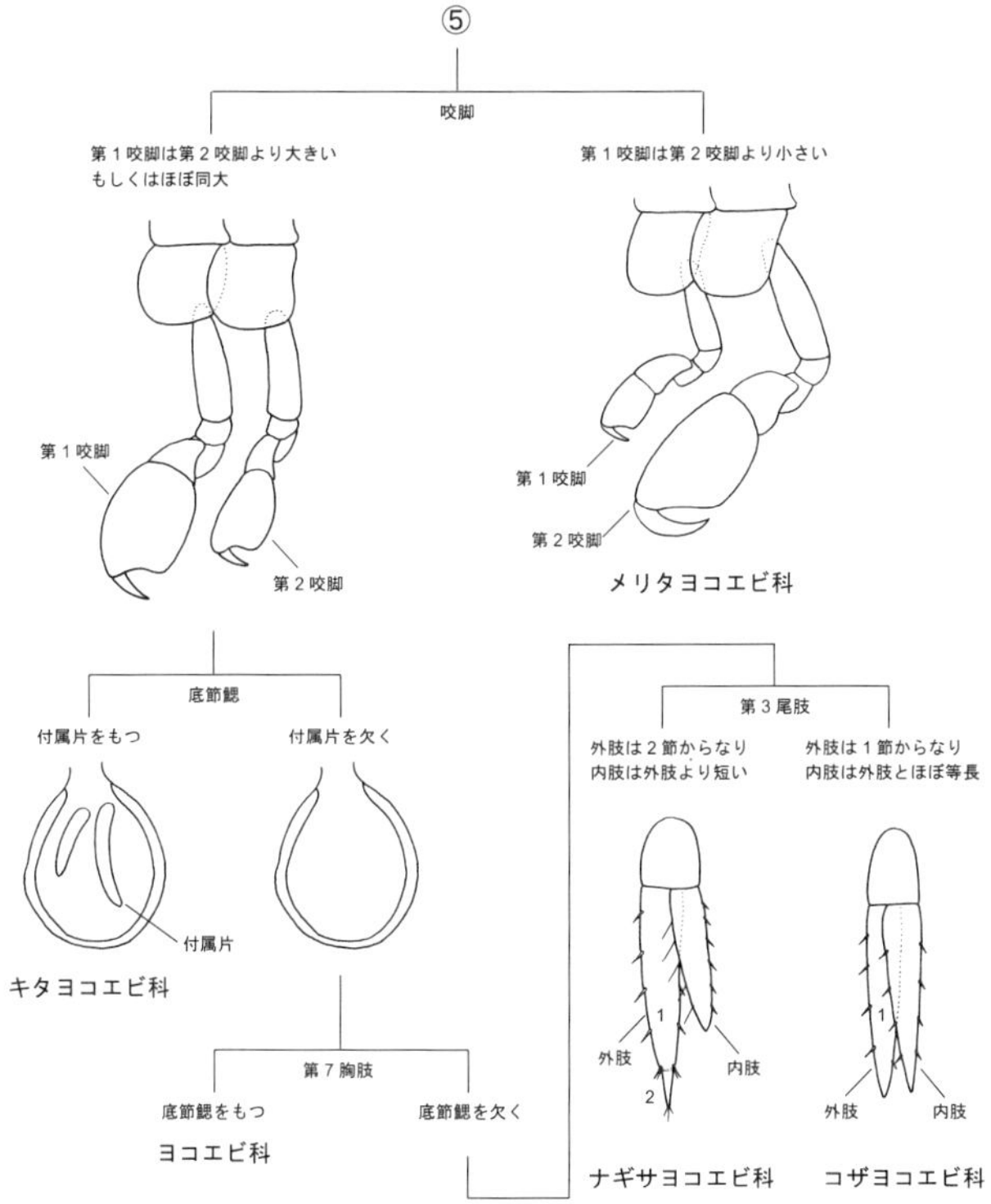
⑤
咬脚
第1咬脚は第2咬脚より大きい
もしくはほぼ同大
第1咬脚は第2咬脚より小さい
第1咬脚
第2咬脚
第1咬脚
第2咬脚
メリタヨコエビ科
底節鰓
付属片をもつ
付属片を欠く
付属片
キタヨコエビ科
第3尾肢
外肢は2節からなり
内肢は外肢より短い
外肢は1節からなり
内肢は外肢とほぼ等長
1
外肢
内肢
2
1
外肢
内肢
第7胸肢
底節鰓をもつ
底節鰓を欠く
ヨコエビ科
ナギサヨコエビ科
コザヨコエビ科

日本に生息する代表的な科

私たちが比較的容易にアクセスできる浅海や汽水、淡水域などの環境によくみられるグループ(科)については、すでに示した検索表で識別することができるだろう。ここでは、これらのグループについてもう少し詳しく知りたい方のために、形態的特徴や生息場所などについて紹介する。

①スガメヨコエビ科(Ampeliscidae)

頭部先端は突出し、その先に一対もしくは二対のレンズがある眼をもつ(眼のない種類もいる)という独特な風貌が特徴的なヨコエビである。第一触角は第二触角より短く、咬脚は単純形またはそれに近い亜鋏形、第二～三尾節が癒合することなども本科の特徴である。スガメヨコエビ科はすべての種が海産で、潮間帯より深い砂泥質の海底に巣をつくって生息する。

②チビヨコエビ科(Amphilochidae)

触角は短く、第一触角と第二触角はほぼ等長。第一底節板は小さい。第二～四底節板は大きく発達するが、第一底節板を完全には覆わない。第四底節板の後縁にへこみがある。咬脚は亜鋏形で、第二咬脚は第一咬脚より大きい、またはほぼ同大。第二尾肢は退化的で、しばしば第一尾肢と第三尾肢よりも短い。尾節板は薄い板状で先端は切れ込まない。潮間帯付近の藻場やサンゴ礁に生息するが、体長二～四ミリメートルと小型のため見落とされやすい。ホヤやカイメン、二枚貝と共生する種も知られている。

③ヒゲナガヨコエビ科(Ampithoidae)

眼は第二触角の基部(生え際)付近、または第二触角基部よりも後方に位置する。第一触角は第二触角より長い。第一触角の柄部第三節は短く、第二節の半分以下の長さ。雄の第一咬脚は第二咬脚より小さい。第一～五底節板は大きく発達する。第三尾肢の外肢はさまざまな程度に湾曲し、先端に鉤状の棘がある。尾節板は肉厚。潮間帯の海藻中や転石下などに巣をつくって生息する。日本各地の浅海でよくみられるのは、ニッポンモバヨコエビ、モズミヨコエビ、トウヨウヒゲナガなど。

④キタヨコエビ科(Anisogammaridae)

本科は底節鰓に付属片があることで、ほかの多くの科から区別される。第一触角は第二触角より長いか(海産のトンガリキタヨコエビは短い)、もしくはほぼ等長、第一咬脚は第二咬脚よりも大きい、第三尾肢の内肢は小さな鱗状もしくは外肢と同程度の大きさであることなども特徴として挙げられる。海から汽水、淡水域まで幅広い塩濃度環境に生息する。潮間帯ではトンガリキタヨコエビ、河口付近の干潟や湖沼ではポシェットトゲオヨコエビがよくみられる。淡水域に出現する種は湧水などの冷涼な環境を好むものが多い。北海道から本州中部地方まで広く分布するオオエゾヨコエビをはじめとして、地域ごとに複数種が出現する。

⑤ユンボソコエビ科(Aoridae)

第一触角は第二触角より長い。雄の第一咬脚は第二咬脚より大きい。底節板は小さく互いに重ならない、または重なりは小さい。第四底節板は後縁にへこみを欠く。第七胸肢はふつう第五〜六胸肢より明らかに長い。第三尾肢は短く、第一〜二尾肢をこえない。尾節板は肉厚で先端は切れ込まない。潮間帯の砂泥底の表面にトンネル状の巣をつくって生息するものが多い。日本各地の浅海や汽水域に分布するニホンドロソコエビは牡蠣などに紛れて北米やヨーロッパに移入され、日本発の外来種となっている。

⑥カンゲキヨコエビ科(Bogidiellidae)

体は小さく細長い。頭部に眼を欠く。第一触角は第二触角より長い、もしくは等長。第一咬脚は第二咬脚より大きい、または同大。腹肢は内肢を欠く(まれに痕跡的な一節をもつ)。地下水や間隙水に生息する。日本からの報告は少なく、鹿児島県与論島の井戸からみつかったリュキュウカンゲキヨコエビと和歌山県串本町の浅海の砂中から得られたボレギディア・タケダイの二種のみが知られる。

⑦ドロクダムシ科(Corophiidae)

体は細長く筒形。第一触角の柄部第三節は短く、第二節の半分以下の長さ。雄の第二触角は著しく肥大する。第二咬脚は底節鰓を欠く。底節板は小さく互いに重ならない。第四底節板は後縁にへこみを欠く。第三尾肢は小さく、外肢先端に鉤状の棘を欠く。尾節板は肉厚で先端は切れ込まない。潮間帯や干潟などに生息し、砂泥や泥底に筒状の巣をつくるものが多い。

⑧マミズヨコエビ科(Crangonyctidae)

頭部に触角洞を欠く。第一触角は第二触角よりも長い。第二咬脚は第一咬脚よりも大きい。尾節背面に刺毛を欠く。第三尾肢は短く、第二尾肢の先端をこえない。第三尾肢の内肢は小さく、これを欠くこともある。尾節板は薄い板状で、先端は浅く切れ込むまたは切れ込まない。北米やヨーロッパの淡水域(地表水や地下水)で種多様性が非常に高い。日本に出現するのは外来種のフロリダマミズヨコエビのみである。

⑨エンマヨコエビ科(Dexaminidae)

腹節背面は竜骨状に盛り上がったり、歯状の突起を備えたりする。第二〜三尾節は癒合する。頭部先端は突出せず、複数の個眼からなる眼をもつ。第一〜二咬脚は小さく、ほぼ同大。第三尾肢の内肢と外肢はほぼ等長。尾節板は薄い板状で深く切れ込む。潮間帯より深い海域の藻場や礫底に生息する。

⑩ヨコエビ科(Gammaridae)

第一触角は第二触角より長い。第一咬脚は第二咬脚より大きい、または同大。底節鰓は付属片を欠く。第三尾肢の内肢は外肢の半分より長い。ヨコエビ科は海から淡水域まで幅広い塩濃度環境に出現するが、日本には淡水産種のみが分布する。ニッポンヨコエビは西日本の淡水域を代表する種で、琵琶湖より西の本州(紀伊半島含む)、四国、九州の湧水や渓流に広く分布する。九州の離島の壱岐と対馬には固有のムクダヨコエビが、五島列島には中国大陸や朝鮮半島との共通種チョウセンヨコエビがそれぞれ出現する。

⑪モクズヨコエビ科(Hyalidae)

第一触角は第二触角より短いが、第二触角の柄部末端をこえる。雄の第一咬脚は第二咬脚より小さい。第三尾肢は内肢を欠く、または鱗状の小さな内肢がある。尾節板は肉厚。潮間帯の藻場や転石の下、岩礁や人工物に付着したイガイやカキ(どちらも二枚貝)のすきまなどに生息する。

⑫イシクヨコエビ科(Isaeidae)

ヒゲナガヨコエビ科に似るが、眼が第二触角の基部よりも前方に位置すること、第一触角の柄部第三節は第二節の半分より長いこと、第三尾肢の外肢は湾曲せず、その先端に鉤状の棘を欠くことなどで区別できる。第三尾肢の内肢が短く退化的になる種もある。潮間帯付近の藻場や礫底、砂泥底に筒状の巣をつくって生息する。

⑬カマキリヨコエビ科(Ischyroceridae)

尾節は癒合しない。有眼の場合、眼は第二触角の基部よりも前方に位置する。第一触角の柄部第三節は第二節の半分より長い。第二触角は第一触角より長い。第二咬脚は第一咬脚より大きい。第四底節板は後縁にへこみを欠く。第三尾肢の外肢は湾曲し、先端に鉤状の棘をもつ(内肢を欠く場合は外肢先端の鉤状の棘を欠く)。尾節板は肉厚。潮間帯の藻場や礫底に盲管状の巣をつくって生息する。

⑭カマカヨコエビ科(Kamakidae)

頭部は前方に突出し、有眼の場合はその先に眼が位置する。尾節板は肉厚。日本各地の汽水や淡水域にみられるカマカヨコエビ属は、第一〜二尾節は癒合する、第一触角は第二触角より明らかに短い、雄の第二咬脚は第一咬脚より大きいなどの特徴がある。本科は、海から汽水、淡水域まで幅広い塩濃度環境に生息する。北海道の汽水や淡水域にはカマカヨコエビ、本州の汽水や淡水域にはモリノカマカ、本州、四国、九州の汽水域にはヘコミカマカなどが出現する。ビワカマカは琵琶湖の固有種。

⑮コザヨコエビ科(Luciobliviidae)

眼がなく体は白色。第一触角は第二触角より長い。第一咬脚は第二咬脚よりわずかに大きい。第三尾肢の内肢と外肢はほぼ等長で、外肢は一節からなる。眼や体の色素を欠くという特徴は、光がほぼ届かない伏流水に生息することによると考えられる。本科は一属一種であり、コザヨコエビのみを含む。「コザ」は本種が初めにみつかった和歌山県南部を流れる清流「古座川」にちなむ。

⑯フトヒゲソコエビ科(Lysianassidae)

第一触角柄部第一節は著しく肥大化する。第二咬脚の第三節(底節板から数えて三節目)は長い。

尾節板は薄い板状。形態的に似た科が多いため、同定には注意が必要。潮間帯から深海まで幅広い深度に生息する。腐肉食性の種が多い。

⑰スンナリヨコエビ科(Maeridae)

第二~三尾節は癒合しない。第一触角は第二触角より長い。雄の第一咬脚は第二咬脚より明らかに小さい。第三尾肢の内肢は外肢とほぼ等長。尾節板は薄い板状。海産のグループで、潮間帯の砂泥底や転石下、海藻中にイソヨコエビやスンナリヨコエビの仲間などが多くみられる。水深二〇〇メートル以深の深海に生息するオニノコギリヨコエビは体長五センチメートルをこえる大型種で、愛知県知多半島の先端にある約一七〇〇万年前の地層「師崎層群」から本種と考えられる化石がみつかっている。

⑱メリタヨコエビ科(Melitidae)

スンナリヨコエビ科に似るが、メリタヨコエビ科は第三尾肢の内肢は小さく鱗状であることから区別される。本科は海域における種多様性が高く、潮間帯の転石の下などにフトメリタヨコエビやニッポンメリタヨコエビ、ナガタメリタヨコエビなど多くの種がみられる。いっぽう、汽水や淡水域に出現する種は限られる。汽水域にはヒゲツノメリタヨコエビやシミズメリタヨコエビ、チョウシガワメリタヨコエビなどが出現する。淡水産種は小笠原諸島や琉球諸島からのみ知られている。

⑲ナギサヨコエビ科(Mesogammaridae)

第一触角は第二触角より長い。海産種の眼はよく発達するが、地下水性種ではこれが退化的もしくは欠く。底節鰓は付属片を欠く。第三尾肢の内肢の長さは外肢の半分以上。尾節板は薄い板状で、先端は切れ込む。北海道の潮間帯の転石下にはナギサヨコエビがみられる。東京と静岡の地下水や伏流水にはコジマチカヨコエビ、紀伊半島南部と四国の伏流水にはヤツメヨコエビが出現する。

⑳クチバシソコエビ科(Oedicerotidae)

頭部額角は著しく伸長し兜形になる。眼はしばしば頭頂部で一つにまとまる。第一触角はふつう第二触角より短い。第四底節板は後縁がへこむ。第一咬脚は亜鋏形、第二咬脚は亜鋏形または鋏形になる。第五～六胸肢と比較して第七胸肢は非常に長い。第三尾肢は細長く、内肢と外肢をもつ。尾節板は小さく、先端は切れ込まない、または浅くくぼむ。潮間帯以深の砂泥底に眼と第一触角を出して潜り、小型の無脊椎動物などを襲って食べる。

㉑ミノガサヨコエビ科(Phliantidae)

体は背腹に著しく扁平でまさに蓑傘のような体形のため、ほかのヨコエビのグループとは容易に区別される。背腹に扁平な体形から等脚類と間違えられやすい。触角は短い。第一咬脚と第二咬脚は単純形でほぼ同形。尾節板はやや厚みがあり、先端は切れ込まない。潮間帯の藻場に生息する。ミノガサヨコエビはウミウチワ(薄い扇形の海藻)の表面に多くみられる。

㉒ヒサシソコエビ科(Phoxocephalidae)

頭部の額角は大きく発達してひさし形または円筒形になり、触角の基部を覆う。第一咬脚と第二咬脚はほぼ同形。尾肢には内肢と外肢があり、第三尾肢の外肢は二節からなる。尾節板は薄い板状で深く切れ込む。潮間帯以深の砂泥底に生息し、砂や泥の中に潜ってくらす。

㉓テングヨコエビ科(Pleustidae)

頭部の額角は大きく発達し「天狗」のような顔つきになることが多い。第一触角は第二触角より長い。第二咬脚は第一咬脚より大きい。第三尾肢の内肢と外肢は柄部より長い。尾節板は薄い板状で先端は切れ込まない。潮間帯の藻場や転石の下などに生息する。テングノウニヤドリの仲間はウニの体表に生息するが、詳しい生態は分かっていない。

㉔ドロノミ科(Podoceridae)

体の背面はこぶ状の凹凸が著しい種が多い。頭部は比較的長い。触角は長い。底節板は小さく、重ならない。第二咬脚は第一咬脚より大きい。第三尾肢は内肢と外肢を欠き、尾節板にほとんど隠れる。尾節板は肉厚で切れ込まない。潮間帯の藻場や砂泥底に生息する。アカウミガメの甲上やジンベエザメの口の中からみつかった例もある。本州以南に出現するドロノミは現在のところ一種とされているが形態的な変異が大きいため、複数の種が含まれている可能性が高い。

㉕アゴナガヨコエビ科(Pontogeneiidae)

尾節の各節は癒合せず、背面に刺毛を欠く。第一咬脚と第二咬脚はほぼ同大。底節鰓に付属片を欠く。第三尾肢の内肢は外肢とほぼ等長で、外肢は一節からなる。尾節板は薄い板状で深い切れ込みがある。海から淡水域まで幅広い塩濃度環境に生息し、地下水に出現する種もいる。潮間帯の藻場や岩場にはアゴナガヨコエビやミギワヨコエビの仲間がみられる。湧水や渓流などの淡水域にはエゾヨコエビ（北海道）やヤマトヨコエビ（本州）などが出現する。地下水性種としては、滋賀県の伏流水にモリノヨコエビが生息するほか、対馬の井戸からはツシマドウクツヨコエビ、五島列島福江島の溶岩洞窟内の地下水（汽水）からはゴトウドウクツヨコエビがみつかっている。本書でも生態を紹介したタキヨコエビは、世界でも極めて珍しい回遊するヨコエビである。

㉖メクラヨコエビ科（Pseudocrangonyctidae）

本科は地下水性で、眼がなく体は白色という暗黒環境に適応的な形態をもつ。このほか、第一触角は第二触角より長い、第一咬脚は第二咬脚より大きい、第三尾肢に内肢を欠くなどの特徴がある。洞窟内のリムプール（鍾乳洞内の斜面に形成された棚田状の水たまり）でよくみられるが、湧水の湧き出し口や伏流水からもみつかっている。井戸からみつかることもある。メクラヨコエビ科は東アジアの地下水を代表するヨコエビで、日本を中心として朝鮮半島や中国、極東ロシアに多くの種が出現する。古い時代に淡水域に適応したグループと考えられており、汽水や海域に生息する種は知られていない。

㉗タテソコエビ科(Stenothoidae)

第一触角と第二触角はほぼ等長の種が多い。第一咬脚は単純形または亜鋏形で、第二咬脚より小さい。第二～四底節板は大きく発達し、第一底節板を完全に覆う。第四底節板の後縁にへこみを欠く。第二尾肢は退化的にならない。尾節板は薄い板状で先端は切れ込まない。潮間帯の藻場に多くみられる。

㉘ハマトビムシ科(Talitridae)

モクズヨコエビ科に似るが、第一触角はより短く、第二触角の柄部末端に達しないことで区別される。第三尾肢の内肢を欠くことも特徴として挙げられる。これまで陸域に生息するヨコエビはすべてハマトビムシ科に含められていた。しかし最近、ハマトビムシ科の分類学的再検討が行われ、本科は複数の科に分けられた(Myers and Lowry 2020)。この研究に従うと、日本産種は狭義のハマトビムシ科と新たに設立されたサキシマオカトビムシ科(Brevitalitridae)に含まれることになるが、本書では従来のハマトビムシ科を採用した。ハマトビムシ科は生息環境ごとに出現する種が異なる傾向がある。河口付近の塩性湿地にはヨシハラハマトビムシ、海岸の砂利浜や礫浜の打ち上げ海藻や転石下にはヒメハマトビムシやホソハマトビムシ、砂浜には砂にもぐる能力をもつニホンスナハマトビムシやヒゲナガハマトビムシ、内陸の森林には落葉・落枝の下に生息するヒメオカトビムシやトゲオカトビムシなどがいる。

「ヨコエビのエイリアン～外来種フロリダマミズヨコエビ～」

図Ⅳ-5　フロリダマミズヨコエビ。内山りゅう氏撮影。

一九八九年に千葉県下の中学校生物部が古利根沼で採集したヨコエビの中に出現したのが、日本で最初の記録である。しかも採れるのは雌ばかりで、同定に使える雄が採れないとのことだった。二年後の冬、そのふしぎなヨコエビを古利根沼の湧水で採集してみると、雄は雌の半分にも満たない小さなサイズで、幼体が混在していた（草野晴美氏私信）。そしてそのヨコエビが北米から帰化したフロリダマミズヨコエビ（図Ⅳ-5）であることが判明したときには、すでに国内の何地点かに拡散しており、二〇〇九年には南は九州から北は北海道まで、ほぼ国内の全域に分布するに至っていたのである。

淡水性のヨコエビといえば、清流を思い浮かべる生き物の類である。フロリダマミズヨコエビには眼の退化がみられる個体もあり(個眼数も色素も少ない)、眼の色素を完全に失った個体すら混在する。したがってその形態的な特徴は、地下水や湧水などの清水性であることを物語っている。しかし原産地の米国南東部では、湧水や地下水だけでなく、広く河川や湿地、池や人工的な水路などにも出現するという。そして日本に現れたあとは、都市河川のヘドロの水底にも三〇度をこえる高水温にも耐え、耐えるだけでなく増殖し、瞬く間に分布を広げてしまった。それほどの広範な耐性がもともと備わっていたのだろうか、謎は残されたままである。

用語解説

がいこっかく(外骨格)

体の外部を覆うように位置する骨格構造。体の保持や保護、水分の蒸発を防ぐ役割がある。

かいゆう(回遊)

主に水生の生物が餌や産卵場所などを求めて定期的に移動すること。特に海と川を行き来するような回遊を通し回遊といい、遡河回遊(川で産卵し、海に降って成長し、産卵のために再び川に戻る回遊)、降河回遊(普段は川で生活しているが、産卵のために海に降りる回遊)、および両側回遊(普段は川で生活し、産卵も川で行うが、生活史の一部を海ですごす回遊)に分けられる。タキヨコエビは降河回遊を行うが、回遊をするヨコエビは世界的にも珍しい。

がいらいしゅ(外来種)

人間活動などにより、本来の生息地以外の場所にもち込まれた生物のこと。在来の生物を圧迫したり、人間に危害を与えたりすることもあるため、その対策が急がれる。

がくめい(学名)→本書30ページ

きさい(記載)

生物の特徴を文章や図を用いて記述すること。特に新しい分類群(種や属など)について論文などで公表されたものを原記載(論文)、原記載を補うような情報が発表されたものを再記載(論文)という。

きすい（汽水）

河口域などで淡水と海水が混じった、海水より塩濃度が低い水のこと。

しょうひしゃ（消費者）→生態系

しょくもつれんさ（食物連鎖）

生物同士の食べる（捕食）、食べられる（被食）の関係がいくつか連なる状態のこと。実際の生物間の関係は単純な鎖状ではなく、網状である（食物網）と考えられている。

しんしゅ（新種）

学名の付いていない種のことを未記載種という。未記載種は、分類学的研究をへて学術論文に新種として学名が発表され、名前が確定する。

せいさんしゃ（生産者）→生態系

せいたいけい（生態系）

ある地域に生息する全ての生物群集および環境要因を含めた集合。生物群集は生態系における働きにより、生産者（光合成や化学合成により無機物から有機物を合成する生物）、消費者（無機物から有機物をつくり出すことができず、食物に含まれる有機物を取り入れている生物）、分解者（生物の遺骸や糞などに含まれる有機物を取り入れている生物）に分けられる。ヨコエビは消費者であり、分解者でもある。

だっぴ（脱皮）

外骨格を脱ぎ捨てること。節足動物は外骨格がかたいため、成長するために脱皮を行う必要がある。

ちょうかんたい（潮間帯）

潮の干満にともなって水位が変化する海岸の部分のこと。干潮時には干上がって陸地になることもあるため、乾燥、温度、塩濃度などの変化に耐性のある種が生息する。

ていせいせいかつ（底生生活）

水底や、水底に存在する水草や落葉層で生活すること。底生生活をする動物は底生動物（ベントス）とよばれる。

ふか（ふ化）

卵から幼生または幼体が外界に出ること。ヨコエビは卵内の胚発生で成体と同じ体制に至り、幼体がふ化する。これを直達発生という。

ふゆうようせい（浮遊幼生）

ふ化した後しばらくの期間、水中を漂う幼生のことで、この時期を浮遊幼生期という。ヨコエビは直達発生を行うため、基本的に浮遊幼生期を欠く。

ぷらんくとん（プランクトン）

遊泳しない、もしくは遊泳力が弱いために水流に逆らえず、水中を漂って生活する生物の総称。大きさは関係なく、珪藻のような微小なものからクラゲのような大型のものまで含まれる。

ぶんかいしゃ（分解者）→生態系

ぶんしけいとうかいせき（分子系統解析）

生物間の系統関係を明らかにするために、ＤＮＡの塩基配列やタンパク質のアミノ酸配列などを解析する研究手法。従来、系統関係の推定には形態情報が使われてきたが、近年は分子系統解析が広く用いられるようになった。

へんたい（変態）

成長過程で形を大きく変えること。多くの甲殻類は幼生から成体になる過程で変態するが、ヨコエビはこれを行わない。

ほうせつ（抱接）

雄が受精を確実にするために、産卵間近な雌を一定期間抱きかかえること。ヨコエビは受精が産卵時に限定されるため、抱接する種が多くみられる。

ようせい（幼生）

成体と異なる形や生活様式をもつ未成熟体。成長過程で変態により体制を変化させる。

ようたい（幼体）

成体と同じ形や生活様式をもつ未成熟体。

引用文献

Adamowicz et al. (2018)
Molecular Phylogenetics and Evolution 125: 232-242.

Adin R, Riera P (2003)
Estuarine, Coastal and Shelf Science 56: 91-98.

Amano T, Sudo S (2013)
Journal of Aero Aqua Bio-mechanisms 3: 65-70.

青木淳一（編）(2015)
日本産土壌動物 分類のための図解検索 第二版，東海大学出版会.

青木優和 (2013)
Cancer 22: 71-72.

有山啓之 (2022)
ヨコエビガイドブック，海文堂.

Barnard JL, Karaman GS (1991)
Records of the Australian Museum Supplement 13: 1-866.

Bazikalova AY (1945)
Trudy Baikalskoy Limnologitcheskoy Stantsii, Akademiya Nauk SSSR 11: 1-440.

Borowsky B (1985)
Physiological Zoology 58: 497-502.

Bousfield EL (1979)
Transactions of the Royal Society of Canada 16: 343-390.

Bousfield EL (1987)
Canadian Bulletin of Fisheries and Aquatic Sciences 217: 1-37.

Bousfield EL (1996)
Bolletino del Museo Civico di Storia Naturale di Verona 20: 175-224.

Bousfield EL, Kendall JA (1994)
Amphipacifica 1: 3-66.

Cardin DB, Martin JW (1999)
Journal of Crustacean Biology 19: 593-611.

Cerda O et al. (2010)
Biological Bulletin 218: 248-258.

Chapelle G, Peck LS (2004)
Oikos 106: 167–175.

Coleman CO, González ER (2006)
Organisms Diversity and Evolution 6, electr. suppl. 10: 1–28.

Conlan KE (1989)
Journal of Crustacean Biology 9: 601–625.

Conlan KE (1990)
Canadian Journal of Zoology 68: 2031–2075.

Dahl E (1977)
Zooligica Scripta 6: 221–228.

DeBlois EM, Leggett WC (1993)
Marine Ecology Progress Series 93: 205–216.

De Broyer C (1977)
Adaptations within Antarctic ecosystem, pp. 327–334, Smithsonian Institution, Washington, D.C.

De Broyer C, Jazdzewski K (1996)
Bolletino del Museo Civico di Storia Naturale di Verona 20: 547–568.

Dixon IMT, Moore PG (1997)
Philosophical Transactions of the Royal Society B 352: 93–112.

d'Udekem C, Verheye ML (2017)
European Journal of Taxonomy 359: 1–553.

Enequist P (1949)
Zoologiska Bidrag Från Uppsala 28: 295–492.

Franz DR (1989)
Journal of Experimental Marine Biology and Ecology 125: 117–136.

Freire PR, Serejo CS (2004)
Zootaxa 645: 1–15.

藤岡康弘 (2009)
川と湖の回遊魚ビワマスの謎を探る，サンライズ出版.

González ER, Coleman CO (2002)
Organisms Diversity and Evolution 2, electr. suppl. 6: 1–19.

Guerra-García JM et al. (2013)
Journal of Sea Research 85: 508-517.

González ER, Watling L (2003)
Hydrobiologia 497: 181-204.

樋渡武彦 (1998)
Sessile Organisms 14: 25-32.

Høeg JT, Lützen J (1995)
Oceanography and Marine Biology 33: 427-438.

星野昇 (1999)
試験研究は今 No. 400.

Hou Z, Zhao S (2017)
ZooKeys 705: 15-39.

Hurley DE (1968)
American Zoologist 8: 327-353.

Hyne RV (2011)
Environmental Toxicology and Chemistry 30: 2647-2657.

Ishikawa T, Urabe J (2005)
Archiv fur Hydrobiologie 16:465-478.

石丸信一 (2001)
月刊海洋 / 号外26: 15-20.

伊藤立則 (1985)
砂のすきまの生きものたち，海鳴社.

Ito T (2003)
Scientific Reports of the Hokkaido Fish Hatchery 57: 19-27.

伊藤富子・川村洋司 (2003)
北海道立水産孵化場研究報告 57: 13-17.

Jamieson AJ et al. (2012)
Journal of the Marine Biological Association of the United Kingdom 92: 143-150.

Karaman G (1976)
Poljop rivreda I Sumarstvo 22: 29-43.

川渕達雄ほか (2007)
アスタキサンチン含有化粧品の開発，Fujifilm Research and Development 52: 30-33.

川井唯史 (2016)
試験研究は今 No. 823.

川崎義巳 (2002)
アチチ君の温泉教室 —そこが知りたい温泉の見方，利用の仕方—，民事法研究会.

Kurdziel JP, Knowles LL (2002)
Proceedings of the Royal Society of London B 269: 1749-1754.

Kuribayashi et al. (1996)
Journal of natural History 30: 1215-1237.

Kuribayashi et al. (2006)
Zoological Science 23: 763-774.

草野晴美 (2001)
月刊海洋／号外 26: 244-248.

草野晴美 (2009)
陸水学雑誌 69: 223-236.

Lancelotti JL, Bandieri L, Pascual MA (2015)
Knowledge and Management of Aquatic Ecosystems 416: 26.

LeCroy S (1995)
Memoirs of the Hourglass Cruises 9: 1-139.

Lewis SE, Loch-Mally AM (2010)
Journal of Freshwater Ecology 25: 395-402.

Lewis SE, Dick JTA, Lagerstrom EK, Clarke HC (2010)
Ethology 116: 138-146.

町口裕二 (1991)
北水研ニュース 42: 22.

町口裕二 (2000)
北水研ニュース 59: 7-9.

MacNeil C et al. (1997)
Biological reviews of the Cambridge Philospohical Society 72: 349-364.

Martin P et al. (1998)
Hydrobiologia 367: 163-174.

Mattson S, Cedhagen T (1989)
Journal of Experimental Marine Biology and Ecology 127: 253-272.

McCloskey LR (1970)
Pacific Science 24: 90-98.

Meadows PS, Reid A (1966)
Journal of Zoology 150: 387-399.

Miller DC (1984)
Journal of Experimental Marine Biology and Ecology 82: 59-76.

Mills EL (1967)
Journal of the Fisheries Research Board of Canada 24: 327-355.

中島美由紀・伊藤富子 (2000)
試験研究は今 No. 417.

Neretin NY (2016)
Biological Bulletin 43: 628-642.

Neretin NY et al. (2017)
Contributions to Zoology 86: 145-168.

新潟県新資源管理制度総合評価委員会 (2017)
新潟県新資源管理制度総合評価委員会報告書.

西村三郎 (編) (1995)
原色検索日本海岸動物図鑑 [II], 保育社.

野田泰一 (1997)
タクサ 2: 13-15.

大高明史 (2012)
ブナの森の湖沼群 白神山地・十二湖の水生生物を探る,
弘大ブックレット 8, 弘前大学出版会.

Okazaki M, Ohtsuka S, Tomikawa K (2020)
Zootaxa 4750: 182-190.

Peck LS, Chapelle G (2003)
Proceedings of the Royal Society of London B 270: S166-S167.

Poltermann M (2001)
Polar Biology 24: 89-96.

Pretus J, Abelló P (1993)
Scientia Marina 57: 41-49.

櫻井泉 (2004)
北水試だより 65: 19-26.

櫻井泉ほか (2007)
北水試研報 72: 37-45.

佐々木猛智 (2002)
貝の博物誌, 東京大学出版会.

佐藤綾ほか (2005)
日本生態学会誌 55: 21-27.

Schmitz EH (1992)
Microscopic Anatomy of Invertebrates Vol. 9: 443-528.

Sideleva VG, Mekhanikova IV (1990)
Transactions of the Zoological Instute, Akademiia Nauk SSSR 222: 144-161.

Smith DG (2001)
Pennak's freshwater invertebrates of the United State, Wiley.

Steele DH (1988)
Crustaceana 13 (Suppl.): 134-142.

Stephensen K (1933)
Transactions of the Sapporo Natural History Society 13: 63-68.

Sudo H et al. (1987)
Nippon Suisan Gakkaishi 53: 1567-1575.

須藤宏幸 (1988)
水産学シリーズ水産動物の日周活動, pp. 117-133, 恒星社厚生閣.

高桑美奈 (2012)
新潟大学大学院教育学科 平成23年度修士論文.

武田正倫 (1992)
カニは横に歩くとは限らない 甲らに包まれた不思議な仲間たち, PHP 研究所.

Takhteev VV (2000)
Esseyes on the amphipods of Lake Baikal (systematic, comparative ecology, evolution), Irkutsk University Press.

Takhteev VV et al. (2015)
Arthropoda Selecta 24: 335-370.

Timoshkin OA (1997)
New scope on boreal ecosystems in East Siberia : Proceedings of the International Workshop, 23-25 November 1994, Kyoto, Japan, pp 35-76.

Tomikawa K (2017)
Species diversity and phylogeny of freshwater and terrestrial gammaridean amphipods (Crustacea) in Japan. In: Motokawa M and Kajihara H (eds), Species Diversity of Animals in Japan, pp 249-266, springer.

Tomikawa K, Komatsu H (2009)
National Museum of Nature and Science Monographs 39: 447-466.

富川光・森野浩 (2012)
日本動物分類学会誌 32: 39-51.

富川光・鳥越兼治 (2007)
広島大学大学院教育学研究科紀要第二部 56: 17-22.

Tomikawa K et al. (2004)
Zootaxa 674: 1-14.

Tomikawa K et al. (2019)
Species Diversity 24: 209-216.

Tomikawa K et al. (2021)
ZooKeys 1015: 115-127.

上野益三 (1986)
川村　日本淡水生物学, 北隆館.

Vader W, Tandberg HS (2015)
Journal of Crustacean Biology 35: 522-532.

Werner I et al. (2002)
Polar Biology 25: 523-530.

Wildish DJ, Poole NJ (1970)
Comparative Biochemistry and Physiology 33: 713-716.

横山寿 (2008)
日本生態学会誌 58: 23-36.

Yu OH et al. (2003)
Marine Ecology Progress Series 258: 189-199.

Zimmer M, Bartholme S (2003)
Limnology and oceanography 48: 2208-2213.

おわりに

ヨコエビを求めてさまざまな場所に行く。そうすると、ヨコエビだけではなくてヒトに出会うことも多い。そして目が合うと、たいていこう聞かれる。

通りがかりの方「何をしているのですか？」

私「ヨコエビという生き物を調べています」

こう答えるとほとんどの方は「エビですか？」と重ねて尋ねられる。そこで私は精一杯、誠意を込めて説明する。

私「名前も形もエビに似ていますが（形はあまり似ていないんだけど、と思いつつ）、エビではなくて、云云かんぬん。ほらみてください、横になって歩いていますよね」

通りがかりの方「歩くのも横になったままなんて、ずいぶんと気楽そうなエビですね」

私「……」。

正直にいうと、私は調査中に一般の方にヨコエビの説明をすることが苦手であった。説明したいことが多すぎて、短い時間で正しく伝えようとすると要領を得ないためかもしれない。しかし、もう心配はいらない。これからは本書を勧めることにしよう。

最近は、生物学に関する興味深い研究成果がニュースで取り上げられたり、メディアで特集されたりすることも多くなってきた。しかし、ヨコエビのような一般にはあまり知られていない生物については、まだまだ面白いことを「研究者だけが知っている」という状況なのである。これではあまりにも勿体ない、ヨコエビについてもっと多くの方に知っていただきたい、というのが本書を書き始めた動機のひとつである。

本書では、これまであまり多くを語られることのなかったヨコエビの種多様性や驚くような生き方について紹介してきた。これらの多くは、偉大な先人や同僚たちの優れた研究成果に基づくものである。そして、そこには著者らのささやかな貢献も含まれているとひそかに自負している。ただし、マリアナ海溝最深部からヒマラヤの高山まで生息するだけあって、ヨコエビの世界は著者が研究を始めた当初思っていた以上に深遠であり、全容の理解には、こえるべき山は高い。本書では紹介しきれなかった、興味深い形態や生態をもつヨコエビは、まだまだたくさんいる。本書をお読みになられた方が少しでもヨコエビに興味をもってくださり、ヨコエビを取り巻く謎が解明されていく喜びを、これからも私たち研究者と一緒に共感していただくことができれば望外の喜びである。

日本におけるヨコエビの分類・生態学的研究をリードされて来られたお二人の研究者、森野浩教授と草野晴美博士には、本書の企画の段階から原稿の作成まで大変お世話になった。本書の主題である「ヨコエビが横になる理由」についての形態学的・生態学的特徴からの考察については、森野教授との議論の中から生まれたアイデアである。草野博士にはヨコエビの生態、採集や飼育の方法について詳しくご教示いただくとともに、ヨコエビの抱接の素晴らしい図版をご提供いただいた。お二方のご協力なしには、本書は完成をみることはなかっただろう。心より感謝申し上げる。

貴重な写真をご提供いただいた内山りゅう氏、高桑美奈氏、川崎義巳氏、角井敬知博士に深く感謝する。特に内山りゅう氏には、日ごろからヨコエビに関心を寄せてくださる稀有なプロ写真家として、感謝の念に堪えない。ベルギー王立自然史博物館のセドリック・デュデケム・ダコ博士には、南極産ヨコエビの写真の掲載を許可いただいた。本書の作成では、多くの研究仲間や日ごろからヨコエビを応援してくださる方々から、たくさんのご協力や励ましをいただいた。お一人おひとりのお名前は挙げられないが、心から感謝申し上げる。広島大学出版会の永友恵氏には、本書の企画から出版に至るまで大変お世話になった。記して謝意を表する。

最後になったが、二十二年前、著者がヨコエビ分類学の道に進むきっかけを作ってくださった武田正倫博士と故藤野隆博教授、学生時代から分類学の本質について、魅力たっぷりにご指導いただいた馬渡駿介教授に厚く感謝の意を称して本書を終えたいと思う。

著者紹介

富川 光（とみかわ こう）

「分類学の父」リンネの没後200年の1978年、東京都国分寺市生まれ。広島大学教育学部・大学院人間社会科学研究科教授、博士（理学）。専門は動物系統分類学、生物教育。幼いころに、母親がアゲハチョウの幼虫が付いている山椒の苗木を買ってきてくれたことをきっかけに生物好きになる。共著書に『奇跡の清流銚子川 もっと知りたい!見えないものが見える川 NHKスペシャル』（山と渓谷社 2019年）などがある。趣味はバイオリン演奏。

ヨコエビはなぜ「横」になるのか

Why does an amphipod lie on it's side?

2023年 2月28日 初版第1刷 発行
2023年 5月15日 初版第2刷 発行

著　　者　富川 光
装　　丁　カヤ ヒロヤ
装　　画　高橋 由季
発 行 者　越智 光夫
発 行 所　広島大学出版会
〒739-8512
東広島市鏡山1-2-2 広島大学図書館内
TEL 082-424-6226 FAX 082-424-6211
URL https://www.hiroshima-u.ac.jp/press

印刷・製本　（株）ニシキプリント

ISBN978-4-903068-59-6　C0045　定価（本体2,400円＋税）